食べものが足りない！

食料危機問題がわかる本

井出留美 著

手塚雅恵 絵

旬報社

2章

食料危機はなぜ起きる？

はじめに

　世界は今、飢餓に直面しています。最大で8億1100万人が空腹に苦しみ、2020年からのコロナ禍により、食料危機はますます深刻化しています。

　食料危機の原因は、貧困、経済格差、紛争など、さまざまです。この本を書いている間にも、状況は悪化の一途をたどっています。タリバン政権が復活したアフガニスタンでは社会が混乱しており、このままでは人口の半分以上にあたる2280万人が飢餓状態になるとの予測をWFP（国連世界食糧計画）が発表し、世界に衝撃を与えました（2021年10月25日）。

　食料危機は、世界最大級の、しかも現在進行形の問題なのです。

　追い打ちをかけているのが気候変動です。世界各地で100年に一度、1000年に一度という大規模な気象災害が起きています。私たちの暮らす日本も同様です。近年、信じられないような気象災害を目の当たりにするようになりました。世界気象機関は、世界の気象災害が50年間

で5倍に増加し、経済損失は3兆6400億ドル（約400兆円）にのぼると報告しています。イギリスの新聞「ガーディアン」は、「気候変動」でなく、「気候非常事態・気候危機・気候崩壊」という言葉を使うことを決めました。

　先進諸国は、どこも気候変動に対する危機意識が高まっている一方、なぜか日本は危機意識が低下しているという国際調査があります（ピュー・リサーチ・センター、2021年）。

　気候変動は食料危機をもたらします。ただでさえ食料自給率が37%と6割以上の食べものを他国に依存している日本は、もっと危機感を持つ必要があるのではないでしょうか。

　本書は、食品ロス問題についてまとめた前著『捨てられる食べものたち』に続き、私たちが直面する食料危機問題についてまとめたものです。データにもとづいて実態を冷静に把握し、私たち1人ひとりができるところから取り組むことで、この問題の解決につながっていくと信じています。

井出留美

1章

世界の食料危機
の現実

私たちのいのちをつなぐ大切な食料。
じつは今、大きな危機が迫っています。

2020年、WFP（国連世界食糧計画）にノーベル平和賞が贈られました。

WFP（国連世界食糧計画）は、飢餓のない世界を目指して活動する国連の食料支援機関です。紛争や自然災害、あるいは気候変動や新型コロナ感染症の影響などで食料不足に直面している人たちに食料を届けています。貧しい国の地域社会と協力して栄養状態を改善し、強い社会づくりにも取り組み、2020年にはその活動に対してノーベル平和賞が贈られました。

2018年にWFPから食料支援を受けたのは83カ国8490万人でした。その後、2019年は88カ国9710万人、2020年には84カ国1億1550万人と、対象人口は年々増えています[1]。

WFPがノーベル平和賞を受賞したのは、1961年の創設以来、多国間主義（1つの課題に対し、多くの国で連携して取り組むこと）の考えのもとで、長年飢餓とのたたかいと撲滅のために力をつくしてきたこと、食料を戦争や紛争の道具として使うことを防ぐ努力を続けてきたことが理由として挙げられています。

受賞当時、米国ではトランプ前大統領が「自分の国さえよければいい」という自国第一主義をふりかざしており、それに対して警鐘を鳴らす意味もあったと報道されています。

WFPがノーベル平和賞を受賞したことは、飢餓がかんたんには解決できない深刻な問題であり、世界の国々が一丸となって食料問題に取り組むべきであることを、あらためて世の中に知らしめました。

SDGsの2番目の目標は、「飢餓をゼロに」。

　世界で人が亡くなる主な原因の1つが、飢餓です。じつは地球のすべての人を養うことのできる食料は十分にあります（36ページ）。でも、お金がなくてその食料が買えない人、戦争や紛争によって食べものを手にできない人が大勢いるのです。

　SDGsとは「持続可能な開発目標（Sustainable Development Goals）」のことで、2030年までに達成すべき17の目標（ゴール）が定められています。これは2015年9月、ニューヨークで開催された国連の「持続可能な開発サミット」で採択されました。貧困の撲滅、教育の普及、環境の保護など、17あるゴールのうち、2番目が「飢餓をゼロに」です。

　飢餓とはどういう状態を指すのでしょう。国際協力NGOハンガー・フリー・ワールドは、飢餓とは「長期間にわたり食べられず栄養不足になり、生存と生活が困難になっている状態」であり、自立の支援が必要だとしています。

　みなさんは飢饉という言葉も聞いたことがあると思います。これは、ある限られた地域で突発的に発生する飢餓状態を指します。食料が急激に不足し、多くの餓死が起こり、緊急の食料支援が必要な状態です。

飢餓をなくすことは、
SDGsの目標となっている

　こうした飢餓や飢饉は、日本とは無縁なのでしょうか？　そんなことは
ありません。日本でも過去に飢饉は起きているし、現在でも心身の健康
を保つために必要なエネルギーや栄養素を摂取できていない人はたくさん
います。

03

世界の10人に1人が飢餓に苦しんでいます。

　私たちの暮らす世界には、現在、飢餓で苦しんでいる人が最大8億1100万人います（2020年）⁽¹⁾。これは日本の人口の6倍以上で、世界の10人に1人の割合です。2019年（6億5030万人）に比べて急増しました。また、新型コロナウイルスの感染拡大で、極度の飢餓に苦しむ人が世界で2億7000万人になったとも報告されています⁽²⁾。

　最も深刻な食料危機の国とその飢餓人口は、コンゴ民主共和国（2180万人・人口の33％）、イエメン（1350万人・人口の45％）、アフガニスタン（1320万人・人口の42％）、シリア（1240万人・人口の60％）、スーダン（960万人・人口の21％）などです⁽³⁾。

　なぜこうした飢餓が起きてしまうのでしょうか。理由は紛争、貧困、自

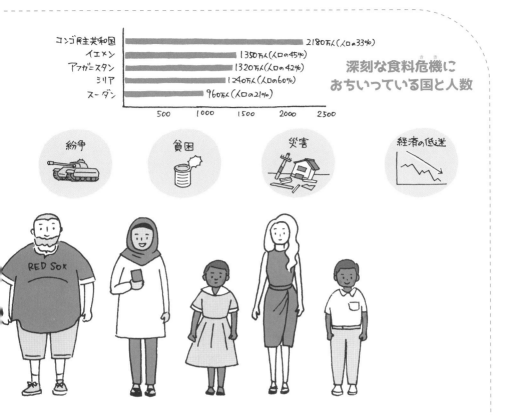

深刻な食料危機に
おちいっている国と人数

コンゴ民主共和国	2180万人(人口の33%)
イエメン	1350万人(人口の45%)
アフガニスタン	1320万人(人口の42%)
シリア	1240万人(人口の60%)
スーダン	960万人(人口の21%)

紛争　　貧困　　災害　　経済の低迷

然災害、経済の低迷などです。

　紛争によって社会が混乱すれば、食料が流通しにくくなったり、食料の
ある場所までたどりつけなくなったりします。

　貧困によって食べものを買うことができないことも飢餓の原因です。さら
に地球温暖化など気候変動の影響で自然災害が起こりやすくなり、農産
物が育てにくくなっています。

　飢餓に苦しんでいるのは、おもにアジアやアフリカの紛争を抱えている
国や、貧しい発展途上国です。そのような地域や国の経済格差が、飢餓
の格差につながっているのです。

コロナ禍で、世界には給食を食べられない子どもが1億8700万人います。

　WFP（国連世界食糧計画）は2020年、コロナ禍の影響で学校が休校になり、給食を食べられなくなった子どもが世界に何人いるかを示すデジタルマップを作成しました（「COVID-19による休校中の学校給食グローバルモニタリング」(1)）。それによると、2020年4月18日時点では3億6800万人を超え、この原稿を書いている10月20日時点でも1億8700万人が給食を食べられていません。

　給食の提供と飢餓の関係にピンとこない人もいるかもしれませんが、じつは、給食は飢餓を解決する重要な手段なのです。WFPは2019年に59カ国1730万人の子どもたちに学校給食を提供しました。家では満足な食事がとれず、「給食がある」から学校に来られる子どももいます。

　日本でも給食の存在はとても重要です。2000年代初め頃、私は当時勤めていた食品会社で小学校4年生100名を対象に食事調査をおこないました。「朝食・学校給食・おやつ・夕食のうち、どの食事からエネルギーを摂取しているか」を調べたところ、なんと、子どもたちの最大のエネルギー源になっていたのは給食でした。

給食を食べられない子ども＝1億8700万人

（2021年10月20日時点）

　貧しい家庭の子どもの中には、学校給食しか食べられない子がいます。夏休みや冬休みなどの長期休暇には給食がなくなるので、休み明けにやせる子もいます。ある調査によると、東京都内のひとり親家庭のうち、コロナ禍の影響によって子どもの体重が減ったと答えた割合は、夏休み明けの2020年9月は11.4％にのぼりました[2]。また、別の調査では18.2％が食事回数を減らしていました[3]。

　「日本にコメが買えない家庭はない」と言い放った政治家がいましたが、日々の食事に困っている家庭はたくさんあります。栄養不足はどこか遠い国の話ではないのです。

ひとり親家庭　コロナ禍で子どもの体重が減った　11.4%

05

世界の10人に1人が、1日1.9ドル（約210円）未満で暮らしています。

　2020年の世界銀行の推計によると、世界の絶対的貧困層は7億2900万人（世界人口の9.4%）⁽¹⁾。約10人に1人です。これまで世界の貧困は改善傾向にありましたが、コロナ禍の影響で悪化に転じました。

　貧困は食料危機の大きな原因です。貧困には「絶対的貧困」と「相対的貧困」の2つがありますが、絶対的貧困とは「満足な食事がとれない」「住む家がない」など、生きていく上で必要最低限の生活水準が満たされていない状態です。世界銀行は、その基準を1日あたり1.9ドル（約210円*）未満としています（基準は定期的に見直されます）。

　相対的貧困は、その国の生活水準や文化水準と比較してのもので、日本の場合なら、相対的貧困層にあたるのは世帯の年間所得が127万円以下、1カ月あたり約10万5000円以下で暮らしている人たちです。そうした世帯は15.4%にのぼります（2018年度）⁽²⁾。服が買えない、外食ができないなど、まわりと比べて貧しさを感じる状況にある人たちです。

　SDGsの1番目のゴールは「貧困ゼロ」です。そのための具体的な取り組みの1つとして、「貧困層やジェンダーに配慮した政策の枠組みをつくる」というターゲットが設定されていますが、はたしてそれはどれだけ実現され

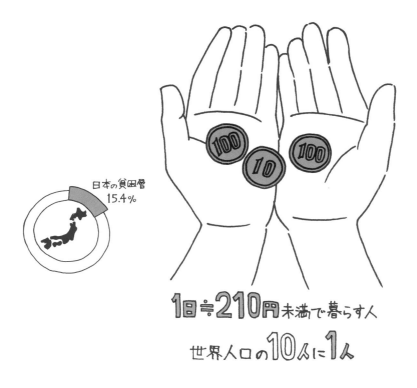

日本の貧困層
15.4%

1日≒210円未満で暮らす人

世界人口の10人に1人

ているでしょうか。

　「貧困は自己責任」と言う人もいますが、必ずしもそうとは断言できません。そもそも貧しい国や地域に生まれる場合もあるし、思わぬ事故や自然災害で急に貧困におちいることは、だれにでもあり得ます。

　日本の場合、「貧しい人は生活保護を受ければいい」と考える人もいます。でも、生活保護は申請すれば必ず許可されるわけではありません。生活に欠かせないのに車などの〝財産〟があると許可されない場合もあります。SDGsの理念は「だれひとり取り残さない」です。それぞれの事情がわからないのに、決めつけ、切り捨てることがあってはなりません。

＊1ドル＝110円で計算

06

5歳未満の子どもの死亡原因の45%は、栄養不良に関連しています。

　かつて、私がフィリピンで青年海外協力隊（現在のJICA協力隊）の隊員として活動していたとき、NGOといっしょに地方の村へ通っていたことがあります。村には、5歳なのに2歳並みにしか成長していない低体重児がいて、政府から支給された穀物を使って栄養素が含まれるおやつを提供するプロジェクトをおこなっていました。

　WHO（世界保健機関）の報告によると、5歳未満の子どもの死亡原因の45%は栄養不良に関連しており[1]、栄養不良にはいくつかの種類があります。

・栄養不足＝栄養が足りずに健全な発育ができません。世界の9人に1人がこの状態です。

・微量栄養素不足＝「隠れた飢餓」ともいわれ、ビタミン・ミネラルなどの微量栄養素が不足している状態です。たとえば、鉄分が不足すると貧血が起こりますが、世界では20億人が貧血になやまされています。

・栄養過多＝過体重・肥満など太りすぎの状態で、生活習慣病などを引き起こすおそれがあります。世界の3人に1人が栄養過多です。

　こうした栄養不良は世界中で発生しています。日本も同様です。以前、40代の母親と19歳、14歳の娘2人がインターネットカフェの別々の個室に2年以上暮らしている様子を取材したNHKドキュメンタリーを観たときは

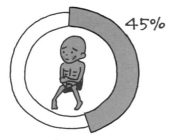

栄養不良

45%

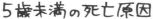

5歳未満の死亡原因

衝撃を受けました。3人の収入源は19歳の娘のコンビニのアルバイト代だけ。彼女たちが缶詰の中身をそのまま缶から食べ、食パンをかじっている姿が映し出されましたが、14歳の子はまさに成長期。必要なエネルギーと栄養素をとらなければならないのに、できていません。

　小中学生を対象とした調査によれば、学校給食のない日とある日の栄養素摂取状態を調べると、給食がない日はタンパク質やビタミン・ミネラルが不足しており、中でも影響が大きかったのがカルシウムだそうです[2]（カルシウムは牛乳・乳製品や小魚、青菜類からとることができますが、牛乳・乳製品はその中でも吸収率に優れています）。ファストフードやスナック菓子の中には、エネルギー（カロリー）は多くても、栄養素の少ないものがあります。そうした食品をとる機会が増えている日本でも、栄養不良は他人ごとではありません。

エネルギー＞栄養素
（カロリー）

07

アジアは飢餓人口が世界最多。4億1800万人がおなかをすかせています。

FAO（国連食糧農業機関）などの発表によると、2020年の飢餓人口はアジアが4億1800万人で最も多く、次いでアフリカが2億8200万人でした[1]。

みなさんは、飢餓というとアフリカというイメージを持っているかもしれませんが、じつは、私たちの暮らすアジアがとても深刻です。16ページでもお伝えしたように、イエメン、アフガニスタン、シリアなどは1000万人以上が食料危機にひんしています。

中でも、アフガニスタンでは国民の9割が十分な食事をとれず、シリアではじつに国民の6割にあたる1240万人が飢餓状態です。なぜこんなに深刻な食料危機が起こってしまうのでしょう。原因は紛争です。想像してみください。もしも近所で日常的に戦闘があったとしたら、怖くて店は開けられないし、外に出て買い物をすることも、そもそも食料を育てることもできません。2011年からシリア政府と反政府勢力の間で紛争が続き、こ

世界の飢餓人口（2020年）

アジア
4億1,800万人

アフリカ
2億8,200万人

中南米
6,000万人

シリアの飢餓
10人に6人

れまで数百万人が家を追われ、隣国のヨルダン、レバノン、トルコなどへ逃れています。

　WFP（国連世界食糧計画）は「シリアの危機が10年の節目を迎え、人道的状況は依然として悲惨」「記録的な数のシリア人が食料不安に陥っており、1240万人が基本的な食事を得るのに苦労しています」と公式ツイートしています（2021年7月13日）。

　アフリカも飢餓人口が多く、コンゴ民主共和国は2180万人と国別では最多です（2020年）。主な原因は、やはり国内の紛争です。飢餓を救うには、食料支援だけでなく、平和の実現も欠かせません。

08

2050年、 世界の**3**人に**1**人が ベジタリアンになる？

お肉いいなぁ

欧米の肉の年間消費量

現在

41キロ

→

2050年

52キロ

経済発展や食生活の向上にともない、1960年からの50年間で、世界全体の肉の消費量は約5倍に増えました。

　著名な経済学者であるジャック・アタリ氏は、著書『食の歴史　人類はこれまで何を食べてきたのか』（プレジデント社）で、世界中で肉食が増えている現在の傾向がこのまま続くと、2050年には1人あたりの肉の年間消費量が欧米などの西側諸国で52キロ（現在41キロ）、発展途上国で44キロ（現在30キロ）に達すると述べています。消費量の増加は、豚肉が約1.4倍、牛肉が約1.7倍、鶏肉が2倍だそうです。

　今後、ますます世界の人口は増えていきます。肉の需要もそれに比例して増えますが、需要を満たすほど牛や豚や鶏を増やすことは、はたしてできるのでしょうか。第2章でくわしく述べますが、1キロの牛肉を生産するためには2万リットルもの水と11キロの穀物が必要です。それだけの水と食べものがあれば、飢えた人がどれだけ食事をとることができるでしょう。

　こうした状況から、ジャック・アタリ氏は、2050年には世界人口の少なくとも3分の1は、自分の意志によって、あるいは肉の値段が高いためにしかたなくベジタリアン（菜食主義者）になると予想しています。将来、肉は一部の人しか食べられない超高級品になるのかもしれません。

日本の食料自給率は37%。東京都は0%、大阪府は1%です。

　食料危機は「日本にはない」「よその国の話」と考えられがちですが、日本の食料自給率は37%（2020年度）と、そのほとんどを外国にたよっている状況です[1]。もしほかの国が「日本にはもう売りません」と言ったら、私たちは1億2000万人分の食べものを国内生産だけでまかなっていかなければなりません。

　日本全体の食料自給率は37%ですが、47都道府県でかなり差があります。たとえば北海道（216%）秋田県（205%）山形県（145%）青森県（123%）新潟県（109%）岩手県（107%）では100%を超えています（2019年度）[2]。つまり、自分たちの地域で食べる以上の食料を生産しています。一方、東京都は0%、大阪府は1%しかありません。日本の、そして自分の地域の食料をめぐるこの現実をまず私たちはよく知るべきです。

　ただし、どの国も、どの都道府県も、食料を自給自足しなければならないのでしょうか？　これは難しい問題です。その食料生産が持続可能かどうかを考える必要もあります。たとえば、イラン北西部にある中東最大の湖・ウルミエ湖は、現在消滅の危機にあります。雨不足に加え、高い収

日本の食料自給率

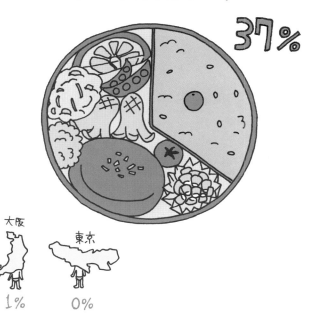

37%

北海道 216%

大阪 1%

東京 0%

入が得られるリンゴ栽培をはじめる農家が増え、地下水を違法なやり方で大量にくみ上げてしまったことが原因です。

　FAO駐日連絡事務所の前所長であるチャールズ・ボリコさんも、同じような話を紹介してくれました。湾岸地域のある国は、土地のほとんどが砂漠なのに「自給自足する」と主張し、小麦を多く生産しました。しかし、小麦を育てるには大量の水が必要です。結局、数年間でその国の水資源の40%を使いはたしてしまったそうです。ボリコさんは、「自給自足の観点だけでなく、システム全体として食を考えるべき」「自給率が高くても持続可能性がそこなわれている場合もあるので、何が最善かを見極めるべき」と話しています。

10

2048年、10分の1 しか魚が獲れなくなる？

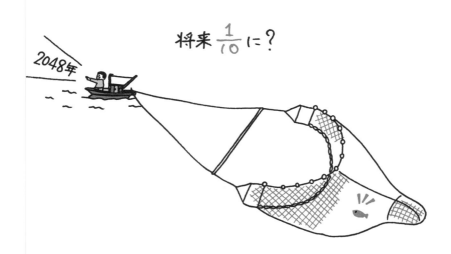

世界の漁獲量が減り続けています。みなさんの大好きなマグロやウナギは、その象徴です。ニホンウナギは絶滅危惧種、太平洋クロマグロは準絶滅危惧種に指定されています。太平洋クロマグロの親魚の資源量は1960年代に約16万トンだったものが、2010年には約1万トンまで激減。その後やや資源は回復していますが、現在も深刻な状況は続いています[(1)]。

太平洋クロマグロ

人気のマグロや
ウナギも絶滅が
心配されている

ニホンウナギ

　このほかにも多くの魚種が減少傾向で、専門家チームの調査によると、現在の漁業を続けていると、2048年にはこれまでの最大漁獲量の10分の1以下になる可能性さえ指摘されています[2]。

　なぜこうした状況になってしまったのでしょう。大きな理由は乱獲です。違法な操業による獲りすぎなどが、資源の枯渇につながっています。適切な管理にもとづいた持続可能な漁業が強く求められています。

　販売する人、消費する人の意識も大切です。たとえば、魚は切り身（四角い形）にしたほうが箱に入れて運びやすく、調理の現場で時間短縮にもなることから、アラや尻尾部分はほとんど捨てられます。魚をとことんまで使い切ることよりも「効率」が優先されているのです。

　人気ラーメン店の「麺屋武蔵」の矢都木二郎代表は、だまっていれば捨てられる魚のアラでおいしい出汁をとった「あら〜麺」を開発しました。こうした食材をむだにしない取り組みが広がっていくために、私たち消費者も意識を変えることが必要です。

2章

食料危機は
なぜ起きる？

なぜ多くの人が飢餓に直面しているのでしょうか。
その理由は食料不足だけではありません。

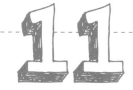

2050年の世界人口は98億人、1.7倍の食料が必要になります。

　現在の世界人口は78億人。2050年には98億人になると予測されています。そのときの世界の食料需要量は、2010年に比べて1.7倍。中でも、経済発展と食生活の変化によって、肉類や乳製品の需要（畜産物需要）は1.8倍となります[(1)]。

　これだけの食料を、私たちはまかなうことができるでしょうか。たしかに、これまでは生産性の向上などで食料供給は増えてきましたが、地球温暖化について国際的な調査をおこなうIPCC（気候変動に関する政府間パネル）は、気候変動の影響で、今後、米、麦、大豆などの穀物の収穫量が大きく減少すると報告しています。

　たとえば、平均気温が1℃上昇するごとに、主食となる穀物の収量は5％ずつ減少するというデータがあります[(2)]。仮に気温が5℃上昇すれば、収穫量は単純計算でも25％減るわけで、実際はそれ以上の影響が出るでしょう。私たちの食料のうち、穀物が占める割合は40％もあり、これはじつに深刻な問題です。

　気候変動の影響は気温上昇だけではありません。雨が大量に降って洪水が起きる、高温が続いて干ばつとなる……いずれも農作物の成長に大きな影響を及ぼします。

2050年 **98**億人になると…

ぎゅうぎゅう　　　　　　　　　　　　ぎゅうぎゅう

食料需要量

↑**1.7**倍
（2010年比）

畜産物需要量

↑**1.8**倍
（2010年比）

　人口がどんどん増え、一方で、食料生産は減るかもしれない。あわせて、食料の分配の不平等や食品ロスの増加など、さまざまな問題がからんで、深刻な食料危機の到来が懸念されています。

12

世界の穀物生産量は26億トン。十分な量があるのになぜ飢えるの?

　現在、世界では年間26億トンの穀物が生産されています。これは地球上の人々に平等に分配すれば、1人あたり年間約330キロ食べることができる量です。たとえば日本人が食べている穀物は1人あたり年間154キロですから、十分に足りるはずです[1]。では、なぜ飢餓が起きるのでしょう?

　1798年に『人口論』を書いたイギリスの経済学者マルサスは、人口の増え方に対して食料増産が追いつかなくなるため、将来、食料危機や飢餓が起きると予言しました。しかし、これは現在の状況を見る限りちがうようです。

　1998年にノーベル経済学賞を受賞したインドのアマルティア・セン氏は、たとえ十分な食料があっても、貧困や紛争があれば食料を入手できる権利や能力を失い、飢餓が起きると主張しました。

　飢餓問題の研究者で、スイス・ジュネーブ大学教授をつとめたジャン・ジグレール氏は「豊かな食料が公平に分配されていないことは、現代社会が抱えている一番の欠陥ではないだろうか」と述べています。

　アメリカ・ミネソタ大学教授で歴史学者のジェフリー・M・ピルチャー氏は、著書で「食料をどう配分するかという問題は、その生産と等しく重要

たっぷり

26億トン

であった。貧しい人々が穀物を確保する法的な仕組みが整っていないと、飢餓や社会不安が起きることは必定であった」と分析しました。

　200年以上前にマルサスが予言したのち、品種の改良、農業の機械化などによって、私たちは十分な食料が生産できるようになりました。でも、いくら食料があっても、それを入手できる社会にならなければ、飢餓は起きてしまうのです。

13

2153人の大富豪が、貧しい46億人より多くの財産を持っています。

2153人

46億人

国際NGOオックスファム・インターナショナルは2020年1月、世界で10億ドル（約1100億円）以上の資産を持つ「ビリオネア」の数が10年間で倍増し、その中で最も裕福な2153人は、最も貧しい46億人よりも多くの財産を持っていると発表しました⁽¹⁾。46億人といえば、世界人口の6割です。

　世界に散らばるお金は、人々が平等に持っているわけではなく、一部の人がすさまじくたくさん持っている、ということです。こうした極端な不平等が、さらなる貧困を招き、食料不安にもつながっている。これが、私たちの今いる世界です。

　一部の人や企業が富を独占する。それは、あらゆるところで見ることができます。みなさんにも人気のバナナは、世界中で販売され、莫大な利益をあげています。バナナはフィリピンでたくさん栽培されていますが、ではフィリピンの農民は、それだけ豊かになったのでしょうか？　残念ながらちがいます。フィリピンのバナナの利益は、デルモンテ、ドール、スミフル、ユニフルーティーといった多国籍巨大企業によって独占されてきました。しかも、安く大量に作るために農薬が使われ、現地の人々は体の異常を訴え、飲み水も汚染されるなどの被害にあっています。

　コーヒー豆も同様です。世界で1日20億杯も飲まれているのに、生産者であるエチオピアの農民は貧困にあえいでいます。豆の価格が安すぎるため、教育を受けることも、食べることも満足にできないのです。生産者は低い収入しか得られず、大手企業が利益を搾取しています。ドキュメンタリー映画『おいしいコーヒーの真実』には、エチオピアのコーヒー農家の息子が「コーヒーのせいでこんな目にあっている」と嘆く場面が出てきます。こうした不平等の現実から、私たちは目を背けるべきではありません。

世界の食料の**3**分の**1**が、
そのまま捨てられています。

　　まだ食べられるのに捨てられる食品のことを「食品ロス」と呼びます。食料危機のリスクが高まる中、食べられるものはできる限り食べ尽くすことが必要ですが、現状はまったくそのようになっていません。

　　FAO（国連食糧農業機関）は世界の食料生産のうち、3分の1にあたる約13億トンがそのまま捨てられていると報告しています[1]。これだけでも驚くべき数字ですが、オランダ・ワーヘニンゲン大学の研究者グループは、実際はその2倍以上が捨てられていると発表しています[2]。また、WWF（世界自然保護基金）らは2021年7月、じつは25億トンの食料が廃棄されていると発表しました[3]。

　　食料を生産して運搬し、お店（小売・外食）や家庭で消費されるまでの一連の流れを「サプライチェーン」と呼びます。食品ロスに似た言葉で「フードロス（food loss）」がありますが、これはサプライチェーンの前半（生産、運搬、保管、

加工）で発生するものだけを指します。後半（小売、外食、家庭）で発生するものは「フードウェイスト（food waste）」と呼び、これらすべてを足して日本語で「食品ロス」、英語では「フードロス＆ウエイスト（Food Loss and Waste：FLW）」といいます。

　これまで、低中所得国では主にサプライチェーンの前半で、高所得国では主に後半で食品ロスが生まれると言われてきましたが、UNEP（国連環境計画）の発表によると、低中所得国も高所得国と同じように、お店や家庭などでも食品ロスが発生していることがわかりました。食品ロスの削減はSDGsの12番目のゴールに設定されています。貧しい国から豊かな国まで世界全体が取り組むべき社会課題なのです。

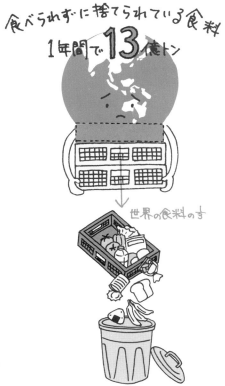

食べられずに捨てられている食料
1年間で13億トン

世界の食料の¾

小売　ゴミ
外食　ゴミ → 家庭　ゴミ
フードウェイスト

日本の食品ロスは年間600万トン。実際はそれ以上です。

　世界では飢える人がいる一方で、日本では年間600万トンの食品ロスが生まれています（2018年度）[1]。これは東京都民1400万人が1年間食べていけるだけの量です。ただし、実際にはもっとあると考えられています。大きさが規格に合わないなど、出荷されずに捨てられる農産物はこの数字に含まれていません。また、農産物と同じように、規格外のために捨てられる魚や肉についても同様です。

　日本は毎年のように大きな災害に見舞われます。そうした緊急時のために、国や地方自治体は、食料や飲料水を大量に備蓄しているのですが、賞味期限が近づいた食品を入れ替える際、その多くを捨てています。総務省が東北6県を対象に調査したところ、国の行政機関の42%が備蓄食品をすべて廃棄していました[2]。じつは、こうした数字も政府が発表する食品ロス量には含まれていません。賞味期限が近づいても品質に問題がないなら、捨てずに活用する方法を考えるべきではないでしょうか（農林水産省や消費者庁をはじめとする府省庁は活用をスタートさせています）。

日本の食品ロス

600万トン

東京都民 (1400万人) の1年分

46% 家庭

54% 企業

「食品ロスは企業のせい」という意見を耳にします。けれど、食品ロスの内訳を見てみると、家庭からが46%、企業からが54%でほぼ半々です（2018年度）⁽¹⁾。しかも消費者が原因で、企業が出してしまう食品ロスもあります。たとえば、「同じ値段なら少しでも日付の新しいものを」とスーパーの棚の奥から商品をとっていないでしょうか。すると手前の商品が売れ残り、いずれ食品ロスとなります。以前、私が2730名にアンケートをとったところ、「買い物のときに奥から日付の新しい商品をとる」と答えた人は全体の88%もいました。「自分1人くらい」とみんなが考える限り、食品ロスはなくなりません。

食品ロスは世界の温室効果ガスの8.2%を占めています。

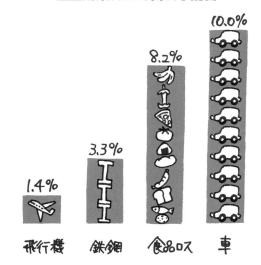

温室効果ガスに占める割合

1.4% 飛行機
3.3% 鉄道
8.2% 食品ロス
10.0% 車

　2019年、スウェーデンの環境活動家グレタ・トゥンベリさんが、国際会議に出席するために、二酸化炭素をたくさん排出する飛行機ではなく、ヨットで移動したことが話題になりました。

　たしかに、飛行機は地球温暖化を引き起こす二酸化炭素などの温室効

温室効果ガスの発生源

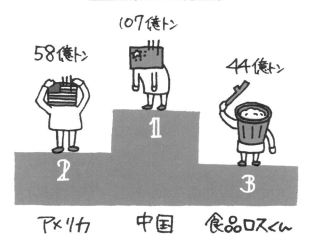

果ガスを大量に出すイメージが強いかもしれません。ただ、WRI（世界資源研究所）が発表したデータをみると、世界の温室効果ガスに占める飛行機の割合は1.4%です。一方、食品ロスは8.2%を占め、自動車と同様に温暖化に強い影響を与えています。また、国別の発生量を比較した場合、世界中の食品ロスを1つの国だと仮定すると、世界で第3位となります（1位中国、2位アメリカ）。これは驚くべき事実です[1]。

　世界的に権威ある学術誌『サイエンス』に発表された論文（2020年11月6日）によると、世界の食料システムがこのまま続いた場合、今後80年間で1兆3560億トンの温室効果ガスが発生し、地球温暖化をふせぐためにかかげられている「産業革命前に比べて平均気温上昇を1.5〜2℃以下に抑える」というパリ協定の実現は、とうてい不可能だということです。

　私たちは、大量のエネルギーを使って大量の食料を作り、しかもそれを大量に捨てています。その結果、地球の温暖化に加担しているのです。必要なのは、効率的に食料を生産し、流通させ、最後まで食べきることです。

17

インドでは、平均気温が2℃上がることで、小麦の収穫量が2割減りました。

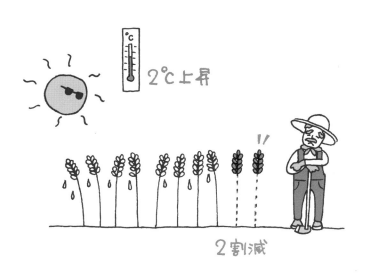

2℃上昇

2割減

　地球規模の温暖化の影響で、以前に比べると暑さがとても厳しくなりました。私たち人間は、あまりに暑すぎると心も体もぐったりしてしまいます

が、これは農産物も同じです。国も、農産物に対する温暖化の影響を問題視しています。

たとえば、高温が続くことでお米の品質が低下してしまったり、りんごやぶどうなどの果樹がしっかり色づかないなど、さまざまな悪影響が予測されています。また、地域によっては、栽培そのものが難しくなる可能性も指摘されています。畜産業や漁業においても、乳牛の乳量が減少したり、スルメイカなど特定の魚種の漁獲量が減ることが心配されています。

アメリカのスタンフォード大学の研究チームが、インド北部の9年分の衛星データを調べたところ、平均気温が2℃上がることで小麦の生育期間が9日間短くなり、収穫量が2割減ったことがわかりました[1]。

また、農研機構は、温暖化による世界全体の穀物生産被害は、過去30年間で、年間平均424億ドル（約4兆6200億円）におよぶとし、今後さらに世界の平均気温が2℃上がると年間800億ドル（約8兆7200億円）の被害が出るとも予測しています[2]。温暖化は食料危機に直結しています。だから全力で止める必要があるのです。

生産被害 800億ドル

気温が2℃上がると
年間800億ドルの被
害が出ると予測

世界の人口を養うには、毎年430億トンもの水が新たに必要です。

　人間の体の55%〜60%は水とされ、大切な役割を果たしています。たとえ食べものがなかったとしても、水さえあれば、しばらくは生きられます。けれど、もし水がなければ、おそらく1週間も生きられないでしょう。水は生命の源です。同じ生命である食料にとっても水は重要です。世界で利用される水のうち、70%は食料生産に使われています。水がなければ食べものをつくることはできません。けれど今、その水に危機が迫っています。

　アメリカの著名な環境活動家であるレスター・ブラウン氏は、その著書の中で、2017年に気候変動による水不足で食料生産が2.4%減ったと指摘しています。世界の穀物需要は人口増によって年間約4300万トンずつ増加しますが、それだけの生産量を増やそうとすれば毎年430億トンの水が新たに必要となるとも述べています(1)。

　しかし、残念ながら、それだけの水を確保することは困難です。そもそも、世界の水資源は地域的な差が大きく、人口に比例していません(2)。気候変動の影響も水不足に拍車をかけています。すでに世界では国や地域間の水の奪い合い（水紛争）も発生しています。ミネラルウォーターを製造する世界的巨大企業が、水源のある国から大量に水を手に入れ、現

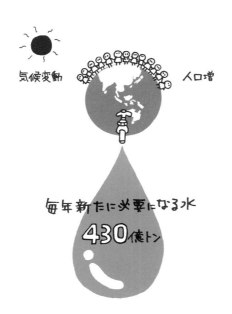

毎年新たに必要になる水
430億トン

世界の地域別水資源量と人口の比較

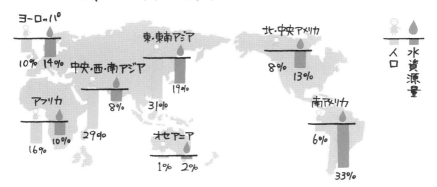

ヨーロッパ
10% 14%

東・東南アジア
19%

中央・西・南アジア
8% 31%

北・中央アメリカ
8% 13%

アフリカ
16% 10% 29%

オセアニア
1% 2%

南アメリカ
6% 33%

人口　水資源量

地の人が十分な水を飲めない、使えないといった状況（じょうきょう）も起きています。水問題は今後、食料不足に深刻（しんこく）な影響（えいきょう）を与（あた）えると予想されています。

日本はごみ焼却率が世界1位。大量の二酸化炭素を排出しています。

　日本は、国土の狭さと衛生面を理由にごみを燃やしています。環境省によると、ごみ全体の約8割を焼却しています[(1)]。とくに生ごみは80％以上が水分なので燃やすのにたくさんのエネルギーを使い、その結果、多くの二酸化炭素を排出しています。OECD加盟国のごみ焼却率を見ると、日本が世界1位です[(2)]。

　日本のように生ごみを燃やすのではなく、埋め立てている国もあります。しかし、埋め立てると、二酸化炭素の25倍以上の温室効果があるというメタンガスが発生します。どちらも環境にとって大きな負荷です。

　環境のためには、ごみを出さない、出したらリサイクルをすることが重要です。スウェーデンのマルメ市では、コーヒーのかすやバナナの皮などをバイオ燃料にして、バスを走らせています。オランダの企業は、レストランから出てきた食べ残しを使って、電力や肥料を生み出しています。

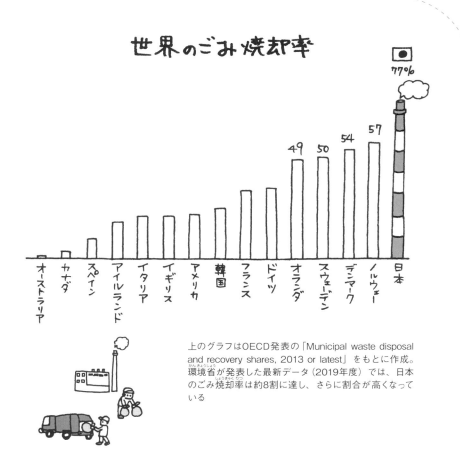

世界のごみ焼却率

🇯🇵
77%

57
54
50
49

オーストラリア
カナダ
スペイン
アイルランド
イタリア
イギリス
アメリカ
韓国
フランス
ドイツ
オランダ
スウェーデン
デンマーク
ノルウェー
日本

上のグラフはOECD発表の「Municipal waste disposal and recovery shares, 2013 or latest」をもとに作成。環境省が発表した最新データ（2019年度）では、日本のごみ焼却率は約8割に達し、さらに割合が高くなっている

　個人でもリサイクルは可能です。たとえば生ごみは家畜のえさ（飼料）やコンポスト（堆肥）に。私は毎回、家庭用の生ごみ処理機で生ごみを乾かしています。使う電力は再生可能エネルギーです。乾燥後の生ごみはコンポストに入れるので、実際に捨てる量はとても少なくてすみます。

　日本のごみのリサイクル率とコンポスト率は先進国のOECDの中でも最下位です。私たち1人ひとりが活用する方法を考えていきたいものです。

20

バイオ燃料の影響などで穀物価格が3倍になり、暴動が起きました。

バイオ燃料とは、植物などの再生可能な有機資源（バイオマス）＊を原料に作られた燃料のことです。燃やすと二酸化炭素を出す点では化石燃料もバイオ燃料も同じですが、バイオ燃料の場合は植物が成長する際に二酸化炭素を吸収するため、その排出量はプラスマイナスゼロと考えます。これを「カーボンニュートラル」といいます。

環境に負荷をかけにくい燃料といえますが、2007〜2008年に発生した世界的な食料危機は、食料とバイオ燃料の価格上昇が主な要因だと言われています。バイオ燃料のニーズが高まったことで、原料となる穀物（トウモロコシ、大豆等）の価格が、それまでの最高価格のおよそ3倍に値上がりし(1)、その結果、ハイチやカメルーンなど貧しい国々では不満をつのらせた民衆による暴動やデモが何度も起きました。

では、バイオ燃料は使わないほうがいいのでしょうか？　そうではありません。食料として使えるものはまず食料（Food）に、そうでなければ繊維（Fiber）、飼料（Feed）、肥料（Fertilizer）の順に活用し、そして最後

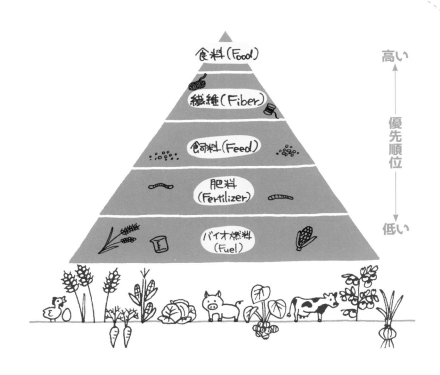

にバイオ燃料（Fuel）に。こうした優先順位をつけた使い方を「バイオマスの5F」と呼びます。

　ミドリムシは59種類もの栄養素を含み、動物性・植物性の両方の性質を持っている、藻の仲間です。世界で初めて食用ミドリムシの培養に成功した株式会社ユーグレナは、バイオマスの5Fにのっとって事業を展開しています。2021年6月には、国産ミドリムシのバイオガスでジェット機を飛ばしました。船や重機の燃料への使用も検討されています。食料価格の高騰につながらない、新世代のバイオ燃料の普及が期待されています。

＊有機資源（バイオマス）
植物、下水汚泥、家畜の糞尿、食物残さなど、動植物に由来する有機物資源のこと

21

世界中の人が日本人と同じ生活をすると、地球が2.9個必要です。

「エコロジカル・フットプリント」という言葉を聞いたことがありますか？これは、人間の生活を維持するためにどれくらいの面積が必要かを示したもので、数値が高いほど地球環境への負荷も大きくなります。

私たちは田畑で農産物を育て、牧草地で家畜を育て、海で魚を獲ります。たくさん食べるには、よりたくさんの土地が必要です。また、徒歩ではなく、車で移動すれば二酸化炭素が出ます。夜に照明をつけ、暖房や冷房をつければ、やはり二酸化炭素が発生します。それらは森林が吸収してくれますが、いつも車で移動し、夜遅くまで起き、冷暖房をつけっぱなしならば、より多くの森林が必要となります。

国際NGOグローバル・フットプリント・ネットワークによると、現在の人類の生活を維持するためには、地球1.7個分の面積が必要です。つまり、すでに地球の限界を超えているのです。エコロジカル・フットプリントは国によって差があり、もし

も世界の人々がアメリカ人と同じ生活をするなら地球が5個必要になります。日本の場合はというと、地球が2.9個も必要です（2017年時点）[1]。

私たちの暮らすかけがえのない家である地球はたった1つです。その地球に今のような負担をかけ続ければ、私たちは家を失うことになります。持続可能な暮らし方を真剣に考えるときが来ています。

22

牛肉1キロを生産するために、11キロの穀物が必要です。

　食事を前にしたとき、私たちは「いただきます」と言います。そのとき、目の前に見える食事だけでなく、見えない食料に思いをはせてみませんか。

　たとえば、ジュウジュウ音を立てているおいしそうな牛肉のステーキ。その1キロ分の肉を育てるために、トウモロコシなどの穀物が11キロ必要です。豚肉1キロには6キロ、鶏肉1キロには4キロ、卵1キロには2キロの穀物が必要です[1]。

　一方で、飢えている人が世界には大勢います。世界では肉の生産量が増え続け、そのために大量の穀物が必要となり、価格が上がります。つまり、肉を生産することは、飢えた人たちから食料を奪うことだとは言えないでしょうか。

　また、穀物を育てるためには大量の水を与えなくてはなりません。1キロの牛肉を生産するためには2万リットルの水が必要です。現在、世界には安全に管理された水が手に入らない人が22億人もいます。肉を生産することは、彼らから水を奪うことだとは言えないでしょうか。

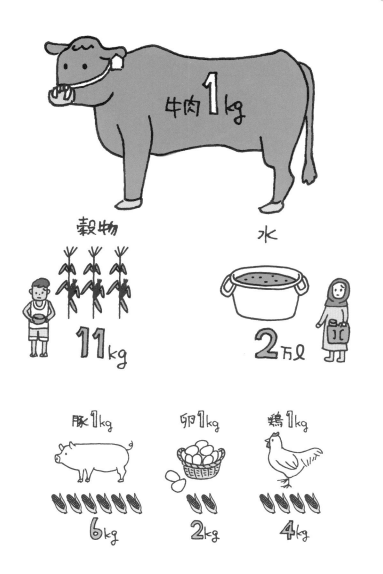

　ステーキのお皿の向こうにはたくさんの見えない穀物と水が存在しています。それは飢えた人の今日のいのちを支えるものであったかもしれません。

23

サバクトビバッタの大発生で、2000万人が食料危機におちいりました。

　サバクトビバッタは、深刻な農業被害をもたらす害虫です。2020年にはケニアで大発生。その数は数億匹ともいわれ、FAOは2000万人が食料危機に直面したと報告しました。サバクトビバッタは、なぜこんなに大発生するのでしょうか。通称「バッタ博士」の前野浩太郎氏（国際農林水産業研究センター主任研究員）は「干ばつのあとに大雨が降ることが原因」だと指摘します。

　サバクトビバッタの天敵はクモやトカゲ、鳥などですが、干ばつが起きると天敵がいなくなります。そこに大雨が降り、バッタが繁殖しやすい環境になると、1日に100km以上風に乗って移動できる能力を活かして、一気に増えるのです。農作物はまたたく間に食い荒らされ、食料不足になり、農民は家畜を飼育できなくなります。物価は上昇し、家計がひっ迫して子どもたちは学校に行けなくなる、そうした悲劇があちこちで起きています。

　サバクトビバッタは生息地が広く、その被害エリアはアフリカ東部、アラビア半島、インド、パキスタンを中心に世界60カ国にのぼります。貧し

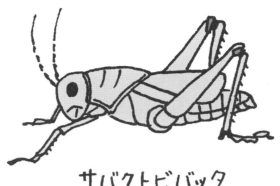

サバクトビバッタ

2000万人

食料危機に直面

い国や紛争地域だと未然に防除することも難しく、かといって殺虫剤をまけば農作物にも影響がおよびます。現状では効果的な対策はなく、サバクトビバッタが原因の食料危機は、いつ起きてもおかしくない状況です。

　サバクトビバッタは、夜、大木の上など1カ所に集まって眠るので、そこで一網打尽にできるかもしれない、と前野さんは話します。ケニアにあるICIPE（国際昆虫生理生態学センター）は昆虫食の研究にも取り組んでいます。研究がすすめば、バッタを食料にできる可能性もあるそうです。

24

受粉によって食品の 7割以上を生み出す ミツバチが減っています。

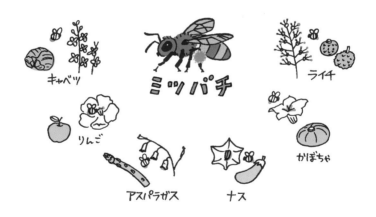

キャベツ

ミツバチ

ライチ

りんご

アスパラガス

ナス

かぼちゃ

　今、世界的なミツバチの減少による食料危機が懸念されています。ミツバチが減るとなぜ食料が減るのでしょうか?

　持続可能なビジネスを支援する株式会社ワンプラネット・カフェのエクベリ聡子さんとペオ・エクベリさんによると、人が日常的に食べている食品は100種類ほどで、そのうちの7割以上がミツバチの受粉によるものだそうです。「英国BBCの報道によれば、もしミツバチがいなくなってしまったら、

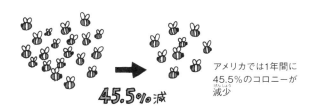

アメリカでは1年間に45.5%のコロニーが減少

45.5%減

スーパーに並んでいる野菜や果物、ナッツなど半分以上が消滅します。そうなれば、牛のエサとなる牧草もミツバチが受粉しているので、牛乳やチーズなどの乳製品も値上がりするでしょう」と言います。

　実際、ミツバチはどれくらい減っているのでしょうか。米国メリーランド大学などの調査によると、アメリカの養蜂家は、1年間（2020年4月1日〜2021年4月1日）で管理していたミツバチのコロニー（蜂群）の45.5%を失ったと推定しています[1]。現在、ミツバチ減少の原因究明が進められているところですが、アジアを発生源としたダニ、ネオニコチノイド系農薬*、気候変動など複合的な要因ではないかと言われています。

　2020年のアカデミー賞にもノミネートされた映画『ハニーランド』は、北マケドニアの女性養蜂家の姿を追ったドキュメンタリーです。自然と共に生きる彼女は、「半分は私に、半分はあなたに」と、ミツバチにハチミツを分けてもらう暮らしを送っていましたが、その生活は、ある日、強欲な隣人が引っ越してきたことで大きく揺らいでしまいます。昔から、人は自然の一部としてバランスをとって暮らしてきました。その自然を支配し、すべてを奪おうとする強欲な隣人は、じつは私たち現代人のことかもしれません。

＊ネオニコチノイド系農薬
害虫の神経系の働きを阻害する農薬として広く使われている。ミツバチの大量死との関係が疑われ、世界的には使用が制限される方向にある

25

世界では毎年、東京都 21個分の森林面積が 失われています。

　国土に森林が占める割合（森林率）は、日本は世界で何番目か知っていますか？　なんと先進国（OECD諸国）で第3位（68.4％）です[1]。それだけ日本は森林資源が豊かなので想像しにくいかもしれませんが、国連の報告によると1990年以降、世界では1億7800万ヘクタールの森林面積が失われました[1]。これはアフリカのリビアの面積に匹敵します。少しずつ減少ペースはゆるやかになっていますが、それでも2010年から2020年まで年平均470万ヘクタール、東京都21個分の面積が消失しています。

　この大規模な森林減少に、私たち日本人も深く関わっています。ふだん使っている紙製品や木材製品の原料は、豊富にある日本の木材ではなく、値段の安い輸入材です。日本人の生活は世界の森林を消費することで成り立っているといえます。

　もちろん、持続可能な量を使うのであれば問題ありません。残念ながら、現在は過剰な森林伐採がおこなわれています。その結果、森林による二酸化炭素の吸収量が減り、気候変動を招き、農業や酪農などが継続困難になれば、食料危機へとつながります。

　私が青年海外協力隊（現在のJICA海外協力隊）として活動していたフィリピンでは、森林率は1920年代には約60％でした。しかし、1980年代

毎年470万ヘクタールの森林が消滅

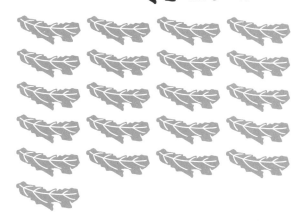

東京都 21コ分

に24%まで減少し、2015年には27%となっています。

かつてのフィリピンは豊富な森林資源に恵まれ、ラ
ワン材などの生産量が年間1000万㎥を超えていました。ところが1980年
代から過剰伐採や違法伐採によって熱帯林の面積が激減。2011年には原
生林や急勾配地、高地での伐採が禁止され、2011年にはすべての天然林
の伐採が停止されています[2]。

　現在、プラスチックごみ問題が注目され、ストローをプラスチックから紙
に変える流れがありますが、その紙ストローも貴重な森林資源であること
には変わりありません。まずは資源利用そのものをできる限り減らす工夫
が必要ではないでしょうか。

3章

食料危機を
解決するために

食料危機は世界レベルの課題です。
けれど、私たち個人にできることもたくさんあります。

社会の問題を自分ごととしてとらえる。

　気候変動・貧富の格差・貧困・紛争・自然破壊など、世界にはさまざまな問題があり、どれも食料危機の原因となっています。けれど、「どこか遠くの国のできごとだから自分には関係ない」「日本には関係ない」などと他人ごとになっていないでしょうか。あなたがそう思っている限り、この問題が解決することはありません。

　「問題があるのはわかるけれど、自分ひとりが何をやってもむだ」という言葉を耳にすることもあります。そんなとき、私は『ハチドリのひとしずく』という南米の民話を思い起こします。

　森で火事が起こりました。
　森の生きものたちは、みんな逃げていきました。
　小さなハチドリのクリキンディは、くちばしで、水のしずくを一滴ずつ運んでは火の上に落としていきます。
　動物たちは、クリキンディをみて笑います。
　「そんなことして何になるんだ」

クリキンディは答えました。
「私は私にできることをしているだけ」

『ハチドリのひとしずく』（辻信一監修　光文社）

　今や、問題は遠くのどこかにあるのではありません。気候変動の影響で、日本でも毎年のように大きな災害が起きています。貧困や格差も私たちのすぐ隣にあります。日本ではひとり親世帯の平均年収がもともと低く、2020年からのコロナ禍で仕事を失うなどして、さらに苦しい立場に追い込まれています。子どもたちも同様です。2020年2月末の全国一斉休校は、学びの問題に加え、貧しい家庭の子どもたちにとっては、頼みの綱の給食がなくなったことで、栄養素摂取の面で危機をもたらしました。フードバンク、子ども食堂、食料配布には、今も行列ができています。

こうした問題を自分ごととしてとらえたとき、私たちに何ができるのでしょうか。

　『ビッグイシュー　日本版』という雑誌があります。ホームレスの方々が駅前などの路上で販売し、その利益の一部を受け取ることで、彼らの社会的自立を支援することを目的とした雑誌です。1部450円で、そのうち230円が販売者の収入になります。インターネットで定期購読もできます。私もときどき買いますが、こうした雑誌を購入することも、1つの方法かもしれません。

　子どもの貧困に対しては、たとえば「おてらおやつクラブ」に食べものやお金を寄付することもできます。「おてらおやつクラブ」は、お寺のおそなえものを仏さまの〝おさがり〟として、子どもを支援する団体の協力を得て、食べものを必要とする家庭へおすそわけする活動です。奈良県安養寺の住職・松島靖朗さんが立ち上げました。2021年11月現在、その活動は全国1700以上のお寺に広がり、毎月2万人以上の子どもたちの手におやつが渡っています。

　私はユニセフに20年以上、毎月寄付をしています。金額はわずかですが、ささやかでも積み重ねればそれなりになると思い、少しずつ続けてきました。「ささやかでも」というのは、行動を継続するための大切なポイントです。

　社会の問題を自分ごととしてとらえる。ハチドリのクリキンディのように、自分にできるささやかなことを続ける。まずはそれがスタートではないでしょうか。

毎日使う電気に関心を持つ。

　この本では、地球温暖化が食料危機を招く要因となっていることをお伝えしてきました。では、私たち1人ひとりは、どんな対策ができるでしょう。

　家庭からの二酸化炭素排出量を見てみると（図1）、最も多いのは電気で、全体の66.2%を占めます（2019年度）[1]。つまり、家庭においてはま

図1　家庭から排出される二酸化炭素の割合

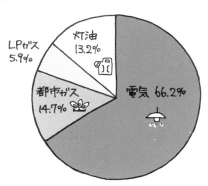

ず電気使用量を節約することが、私たち個人ができる温暖化対策への有効なアプローチといえます。一世帯あたり1年間に平均で10万6000円分の電気を使っているので、それが節約できれば家計の助けにもなります。

　つぎに、地域別に、どのような用途で二酸化炭素の排出量が多くなっているかを見ると（図2）、寒冷地の北海道や東北では暖房の割合が大きくなっていますが、全国平均では、照明・家電製品が48％と最も高い割合を占めていることがわかります(1)。

　照明・家電製品の中で、家庭で最も電気を使うのは何でしょうか。データを見てみると、電気冷蔵庫（14.2％）、照明器具（13.4％）、テレビ（8.9％）の順番となっています（図3）(2)。

　つまり、省エネ家電を活用することで、二酸化炭素の排出量を大きく削減することができるわけです。とくに2011年の東日本大震災をきっかけに省エネの流れは加速化しました。家電メーカーも力を入れて、以前に比べて消費電力はだいぶ下がったようです。私も13年ぶりに冷蔵庫を買い替えたところ、消費電力は半分以下になり、電気代が安くなりました。

　とはいえ、家電製品はそうひんぱんに買い替えるものでありません。だったら、電力会社を変えるという方法もあります。

　私は大手電力会社との契約をやめて、実質100％自然（再生可能）エネルギーの「ハチドリ電力」に切り替えました。二酸化炭素の排出量が少なく、環境に負荷をかけない電気を販売している会社です。

　切り替えはインターネット上で数分で完了し、とても簡単でした。大手電力会社の電気代よりも安く、しかも電気代のうち1％を社会貢献活動に寄付でき、もう1％を自然電力の発電所基金に寄付することができます。

　私たち個人が電気に対して意識的になることで、気候変動の流れを少しでも抑えることができるはずです。

図2 地域別 1世帯あたりの用途別の二酸化炭素排出

■暖房　■冷房　■給湯　■台所用コンロ　□照明・家電製品等

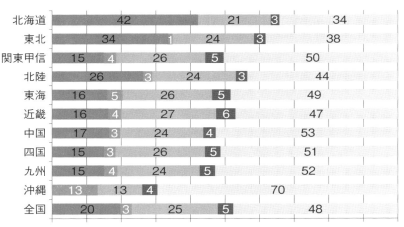

地域	暖房	冷房	給湯	台所用コンロ	照明・家電製品等
北海道	42		21	3	34
東北	34	1	24	3	38
関東甲信	15	4	26	5	50
北陸	26	3	24	3	44
東海	16	5	26	5	49
近畿	16	4	27	6	47
中国	17	3	24	4	53
四国	15	3	26	5	51
九州	15	4	24	5	52
沖縄	13	13	4		70
全国	20	3	25	5	48

0%　10%　20%　30%　40%　50%　60%　70%　80%　90%　100%

図3 家庭における照明・家電の電気消費量の割合

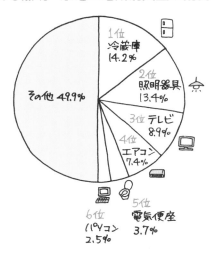

その他 49.9%

1位 冷蔵庫 14.2%

2位 照明器具 13.4%

3位 テレビ 8.9%

4位 エアコン 7.4%

5位 電気便座 3.7%

6位 パソコン 2.5%

「食品ロスを減らしても意味がない」という誤解をなくす。

　「食品ロスを貧しい国の人たちにあげられるわけじゃない。だから食品ロスを減らすことに意味はない」「食品ロスを減らすと経済が縮む。だから減らしちゃだめ」という意見を聞きます。ほんとうでしょうか。

　44ページでもお伝えしたように、食品ロスは世界の温室効果ガスの8.2%を占め、自動車並みの影響をもっています。燃やせば二酸化炭素が発生し、埋めれば二酸化炭素の25倍以上の温室効果があるメタンが発生します。いずれにせよ気候変動に大きく影響し、社会や経済に混乱を与えます。減らすことに意味がないわけでは決してありません。

　「経済が縮む」という意見についてはどうでしょうか。たとえば、関西のスーパーである平和堂とイズミヤでは、お店のルールとしていた販売期限で食品を捨てず、消費期限・賞味期限ぎりぎりまで売る実験をしました。すると食品ロスが10%減り、売上は5.7%増えました。このように、食品ロスの削減と経済の両立も可能なのです。

食品ロス削減と
経済の両立は可能

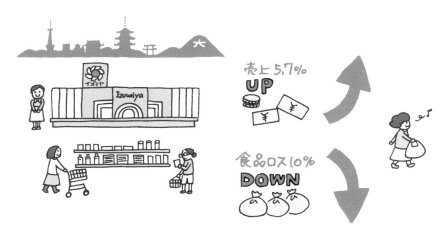

私たち個人は、食品ロスをどうしたら減らすことができるでしょう。

まず、家庭では食べきれる分だけ食材を買い、食べられる分だけ料理して盛りつけるようにすることが大切です。

食材はできるだけ長持ちさせるよう、適した方法や場所で保管します。家庭で最も捨てられやすいのが野菜です。捨てないための工夫として保存法なら「古新聞紙で包む」「湿らせたキッチンペーパーでくるん

新聞紙で包む

干し野菜にする

スムージーをつくる

で乾くのを防ぐ」「市販の野菜保存袋を使う」などがおすすめです。活用法なら「干し野菜にする」「冷凍する」「スムージーを作る」「大根の皮やピーマンのへた・タネなど食べられる部分を食べ尽くす」などさまざまアイデアが挙げられます。

　もう1つ、食品ロスを減らす際に大切なことがあります。それは食品ロスを「計る」「見える化する」ことです。

　平成29年に徳島県の一般家庭を対象に食品ロス削減の実証実験がおこなわれ、食品ロスの重さを計量した家庭は、それだけで食品ロスを約23%減らすことができました⑴。また、計量に加えて①必要な分だけ買う②食品を上手に保存する③冷蔵庫やキッチンの整理整頓④エコクッキングで食材のむだをなくす、などの指導をおこなった家庭は約40%も減らしたという調査結果が出ています。

　私も捨てる量をずっと計っていますが、食べ残しなどが出ると重量が増えてしまうので、「減らそう!」と意識が変わり、行動も変わってきます。

　重さを計るだけなので誰でもかんたんにできるし、とても効果がある取り組みだと思います。みなさんもぜひおためしください。

行動を変えるために「ナッジ」を活用してみる。

　目の前に階段とエスカレーターがあったらどちらに乗りますか？　多くの人はラクにのぼれるエスカレーターに行くと思います。駅で見ていても、ほとんどの人がエスカレーターを選びます。ここで「エスカレーター使用禁止！」「健康のために階段を使いなさい」と言われたらどうでしょう。命令されたり禁止されたりすると、なんだか逆に反発したくなりませんか？

　では、もしも階段がピアノの鍵盤のようになっていて、一段のぼるたびに音が奏でられる、そんな「ピアノ階段」だったらどうでしょう。エスカレーターを禁止されなくても、階段をのぼってみたくなりませんか？

　このように、禁止や命令をすることなく、人の行動を変えるアプローチを「ナッジ（nudge）」と呼びます。英語で「ひじでつつく」という意味です。人の行動を意図するほうへ誘導するのです。

ピアノ階段なら
みんなが思わずのぼりたくなる

　ナッジ理論は、シカゴ大学教授で行動経済学者のリチャード・セイラー
氏と、ハーバード大学法科大学院教授のキャス・サンスタイン氏によって
開発・提唱されました。セイラー教授は2017年にノーベル経済学賞を受
賞しています。

　ナッジはさまざまな場面で使うことができ、食品ロスの削減にも有効で
す。たとえば、おいしそうな料理がたくさん並んでいるビュッフェ。どうし
ても欲張って一度にとりすぎてしまい、場合によっては食べきれずに残して

しまいます。そこでナッジを活用し、欲張って一度にたくさんとらないように「何度でもとりに来てください」と書いたPOPをテーブルに置いておくだけで、とりすぎを防ぐことができます。

　ナッジの事例は、調べてみるとほかにもいろいろあります。たとえばコロナ禍で、人と人との距離をとる「ソーシャルディスタンシング」のために、スーパーのレジ前の床に間隔を空けて目印テープが貼られているのもその一例です。また、ごみのポイ捨てをしないように、ごみ箱をバスケットゴールに見立てた形にしたところ、きちんと捨てる人が増えたという事例もあります。
　食品ロス削減をはじめ、温暖化防止や環境保護などさまざまな行動変化にナッジは効果的です。アイデアを出し合い、上手に活用してみましょう。

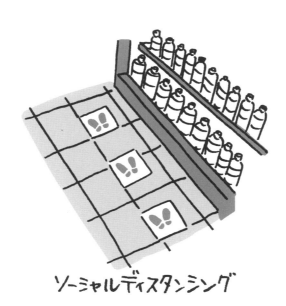

ソーシャルディスタンシング

30

食べものを シェアし、 支え合う。

京都大学の前総長で、霊長類学者・人類学者の山極壽一氏によれば、人間はサルと違って、他人に食べものを分け与えることによろこびを感じる動物だそうです。人間には食べものを仲間のために持ち帰り、分配し、共食する性質があります。互酬性（＝もらったら、お返しをしようとすること）も人間独特のものだそうです。

　人として生まれたからには、他者を慮ること。とくに社会的に弱い立場にある人や、将来世代のことを配慮し、人間らしく生きていきたいものです。

　食べもののシェアには、大きく分けて「寄付」と「販売」の2つの方法があります。

◎寄付

　食料の寄付活動はフードドライブとも呼ばれます。家庭で余っているもの、あるいは購入したものなどを持ち寄り、福祉団体・施設、フードバン

クなどに寄付します。

　近年、その存在が注目されているフードバンクは、1967年に米国ではじまりました。食べられるのに捨てられる運命にある食品（フード）を引き取り、一時的に保管し（バンク）、必要とする組織や人へとシェアすることを目的としています。現在は世界中に広まり、日本でも北海道から沖縄まで150以上の団体が活動を続けています（2021年11月現在）。

　このほかにも、68ページでも紹介した「おてらおやつクラブ」など、寄付された食べものをシェアする団体やグループは探せば身近にもたくさんあります。

デンマークのスーパー「ウィーフード」は、
値段を少しずつ下げて必ず売り切る

◎販売

　お店での販売を通じて食料をシェアする活動もあります。「カリタス・マーケット」は、経済的に困窮している人のためのスーパーマーケットで、スイスが発祥です（母団体は、カトリック教会としての援助活動を世界各地で展開するNGO国際カリタス）。おおむね一般のスーパーより30%以上安く販売され、貧しい人たちにとっては欠かせない存在になっています。また、イギリスやトルコにも「ソーシャルマーケット」という、生活に困った人のために安く販売する食料品店があります。

　デンマークには2016年、世界で初めて賞味期限切れ食品を販売するスーパー「ウィーフード（wefood）」が誕生しています。私も訪れたことがありますが、賞味期限切れだけでなく、クリスマスやハロウィンなどイベント

売り上げの一部を支援に

利益は
社会のために使われる仕組み

で余ったもの、中身は十分食べられるけれど表示に不備があるものなど、さまざまな食品が売られていました。最初は定価の20％引き、それで売れなければ25％引き、30％引きと少しずつ値段を下げて売り切るようにしています。ウィーフードは安く売ってたくさんもうけることが目的ではありません。食品ロスの削減とともに、その利益は貧しい国の貧困や飢餓への支援に使われています。

　日本でも「97％引き」といったように、消費者が破格の値段で食品を購入できるスーパーがあります。これも食品ロスを減らすために大事なことですが、消費者だけがすごく得をするより、その一部でもいいので、ウィーフードのように困っている人の支援に使うのがより健全ではないでしょうか。

31

生ごみをリサイクルして温室効果ガスを減らす。

　私は埼玉県川口市の廃棄物対策審議委員を2017年からつとめています。市内の環境センターには「分ければ資源　捨てればごみ」という標語が掲げられています。たしかに、生ごみは、捨てればただのごみとして二酸化炭素を排出するだけですが、分けて収集すれば、家畜のえさや堆肥（肥料）やバイオガスにリサイクルされ、資源として活用することができます。

　福岡県大木町では、生ごみを別回収して液肥（＝液体の肥料）にし、家庭や学校給食で食べる野菜やお米を育てるのに使っています。そして家や学校で食べ、生ごみが出たらまた液肥にするという「リサイクルループ」を実現しています。福井県池田町では生ごみを別回収し、牛ふんともみ殻を混ぜ、有機肥料の「土魂壌」を作って販売しています。この肥料で育てた有機米も販売しています。

生ゴミ

　２章でもお伝えしたように、海外では、より積極的な活用が進んでいます。スウェーデンのマルメ市では、バナナの皮やコーヒーのかすを使ってバイオガスを作り、バスを走らせています。すでに2021年8月には市営の交通や施設で使うエネルギーの100％を再生可能エネルギーに変換しています。韓国のソウルやスウェーデンのストックホルムなどには、市民が生ごみを投入できるポスト型のボックスがあり、回収した生ごみをバイオガスなどにして活用しています。

　温暖化防止において生ごみのリサイクルはとても重要なテーマですが、自治体レベルの取り組みが多く、なかなか実感がわかないという人もいるかもしれません。けれど、私も生ごみをベランダでコンポスト（堆肥）にしていますし、個人レベルでもできることはあるはずです。

32

Zero Waste

(ゼロ・ウェイスト)について知る。

環境配慮の原則「3R」の優先順位は「Reduce」「Reuse」「Recycle」です。しかし、それより「Refuse（＝断る）」が優先される、という考え方もあります。つまり、たとえ「無料であげます」と言われても、使わない・食べないものならもらわない（断る）。買いものの際に過剰なプラスチック包装はごみになってしまうのでいらないと断る、などです。

このように積極的にごみを出さない姿勢や無駄・浪費をなくした暮らし方を選ぶことを「Zero Waste（ゼロ・ウェイスト）」と呼びます。

たとえばコンビニの割ばしやスプーン、ホテルのアメニティグッズ（歯ブラシやシャンプー）、うちわやティッシュといったノベルティグッズ（無料で配られる製品）など、私たちの身近には不要になりがちなものが数多くあります。そうした無駄や浪費を避け、限りなくごみをゼロにすることは、環境への負担も減らしてくれます。

Refuse

コンビニ

ホテル

世界25カ国以上で翻訳された書籍『ゼロ・ウェイスト・ホーム』を書いたベア・ジョンソンさんは、米国カリフォルニアに一家4人で暮らしていますが、1年間に出るごみは、なんと片手にのる小瓶1個分です。

　ゼロ・ウェイストという考え方は、1990年代半ばごろ、カリフォルニアやイタリアでの環境保護活動を通して発展してきたそうです。今では世界各国の自治体や企業、個人が参加できるゼロ・ウェイスト国際連合（ZWIA）という組織もあります。

　私も以前、イタリアをたずねたとき、ゼロ・ウェイスト宣言をした自治体が国内で300近くあると聞いて驚きました（2021年9月現在で300を超えています）。一方、日本ではまだ全国で5つの自治体にとどまります（奈良県斑鳩町、徳島県上勝町、福岡県大木町、福岡県みやま市、熊本県水俣市　2021年11月現在）。

　ゼロ・ウェイストの暮らしは、ごみ捨ての手間が減り、処理費用も減り、家計も自治体も助かります。節約した財源を使って福祉や教育などに活用することもできるでしょう。ぜひ、ゼロ・ウェイストについて調べてみてください。そこに大きな可能性を感じるはずです。

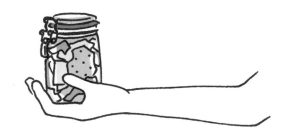

消費期限と
賞味期限の
ちがいを理解する。

　食品ロスが減らない原因の1つに、「消費期限」と「賞味期限」のちがいについての知識不足があります。

　たとえばお弁当、おにぎり、サンドイッチ、調理パン、刺身、生クリームのケーキ、低温殺菌の牛乳など、おおむね5日以内の日持ちの食品に表示されるのが消費期限です。これらは品質が劣化するのが早いので、書いてある表示を守って食べることをおすすめします。

　一方、それ以外のほとんどの加工食品には賞味期限が表示されています（ちなみに牛乳は低温殺菌だと消費期限表示ですが、高温殺菌だと賞味期限表示です）。

　この賞味期限とは「おいしく食べられる目安」のこと。たいていの食品は、リスクを考慮して短めに設定されています。義務ではありませんが、国は短めに設定する場合、実際の8割程度にするようにすすめています（たとえば、10カ月おいしく食べられる即席麺なら賞味期限表示は8カ月

消費期限

安全に食べられる
期限

賞味期限

おいしく食べられる
めやす

になります)。したがって、たとえ賞味期限が切れてしまっても、ほとんど
の食品はまだ食べることができるわけです。

　賞味期限がない食品もあります。アイスクリームやガム、砂糖、塩、一
部のアルコール類、ガラスびん入りの清涼飲料水などです。品質の劣化が
とてもゆるやかなので、表示しなくてもよいことになっています。

　たまごは産卵から7日以内にパックされ、その後、2週間で賞味期限が
切れます。ただし、賞味期限が切れても熱を通せば十分食べられるので、
市販のパックには「賞味期限が過ぎたら加熱調理して早めに食べましょう」
と書いてあります。10℃以下で保管すれば産卵から57日間生で食べられ

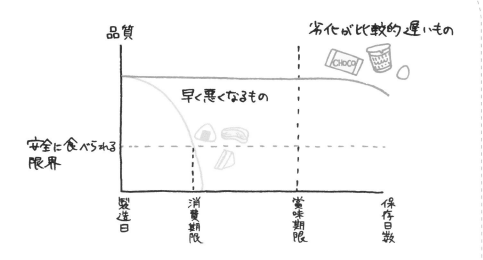

るという報告もあります。たまごの賞味期限とはあくまで生で食べられる期限なのです。

　ペットボトル入りミネラルウォーターはどうでしょうか。賞味期限が表示されていますが、それは飲めなくなる日ではありません。ペットボトルを長期間保存しておくと水分が蒸発し、規定の容量を満たさなくなります。これが賞味期限を表示する理由で、味の問題ではありません。非常用に備蓄していたミネラルウオーターの賞味期限が切れたとしても、キャップを開けて状態を確認し、問題がないようなら飲むことができます。

　食品ロスを減らすための第一歩として、消費期限と賞味期限の違いをきちんと理解しましょう。

34

持続可能な漁業を応援する。

　持続可能な農業と持続可能な畜産業。これらと比べて「持続可能な漁業」はどうちがうのでしょうか。

　野菜や果物は、育っていく様子を地上で見ることができます。牛や豚も同じように見ることができます。でも、魚たちは海の中。海にもぐらないと見ることはできません。しかも、区画が「ここまで」と決まっている畑や牧場と違い、海はつながっています。境界がありません。どこへでも泳いでいく魚の資源管理はとても難しいのです。

　世界の漁獲量が減っています。たとえば大型魚の代表といえる太平洋クロマグロは準絶滅危惧種として、資源枯渇が心配されています。こうした状況を受け、持続可能な漁業を実現するために、漁業や養殖業者などに対する認証制度が存在します。

　国際非営利団体MSC（Marine Stewardship Council：海洋管理協議会）が管理・推進する持続可能な漁業に対するMSC漁業認証制度は、1）資源の持続可能性、2）漁業が生態系に与える影響、3）漁業の管理システムを評価基準に第3者機関が審査をおこない、認証された漁業で獲られた水産物はMSC「海のエコラベル」をつけることができます。

持続可能な漁業水産物に
与えられる
「海のエコラベル」

持続可能な養殖水産物に
与えられる「ASCラベル」

　養殖については、ASC（Aquaculture Stewardship Council：水産養殖
管理協議会）の認証制度によって、環境に負担をかけず、働く人と地域
に配慮した養殖によって育てられた水産物に「ASCラベル」をつけること
ができます。私たち消費者は、このようなラベルの有無を見て魚を購入す
ることで、持続可能な漁業を応援することができます。

　また、「ブルーシーフード」を選ぶことも、持続可能な漁業を支援するた
めの1つの方法です。ブルーシーフードとは、カツオ、サバ、ホタテなど、
資源量が比較的豊富な水産物を指します。選定をおこなっているセイラー
ズフォーザシー日本支局は「ブルーシーフードガイド」を発行し、ホーム
ページ上でも公開しています（https://sailorsforthesea.jp/blueseafood）。

京都大学の正門入ってすぐ左にあるレストラン「カンフォーラ」のメニューには「ブルーシーフードカレー」があります。ブルーシーフードであるサバやホタテなどがのっているカレーで、私もいただいたことがありますが、衣をつけて揚げたシーフードとルーの相性もよく、とてもおいしかったです。

　私たち日本人が大好きなウナギ（ニホンウナギ）は絶滅危惧種です。水産物はどれも豊富に存在するわけではありません。どの魚なら食べても大丈夫なのか。加えて、それは持続可能な手法によるものなのか。そうした視点が今、魚選びに求められています。

比較的資源の豊富な
ブルーシーフード

カツオ

ズワイガニ

サバ

ホタテ

35

週1日、肉を食べるのをやめる。

　世界的に権威ある学術誌『サイエンス』の論文（2020年11月6日）によると、世界の食料システムがこのまま続いた場合、パリ協定でかかげられている「産業革命前に比べて平均気温上昇を1.5〜2℃に抑える」目標を実現できないと指摘しています。つまり、私たちは今の生活を変える必要があるというのです。

　では、どうしたらいいのでしょうか。論文をまとめたミネソタ大学とオックスフォード大学の研究者らは、何か1つの取り組みだけをするのではなく、複数を組み合わせる必要があり、その1つが肉食をやめて植物性食品に替えることだと言います。なぜなら、これまでお話ししているように、とくに牛の工業型畜産は環境負荷がとても大きいからです。牛肉となる牛を育てるには、大量の水と飼料、広大な土地が必要です。

ただし、研究者らは「全員が肉食をやめる必要はない」と言っています。1人ひとりが健康的な食事をとり、肉を食べる回数を減らすだけでも効果があるのです。

　最近では、新型コロナウイルス感染症（COVID-19）をはじめ、感染症の多くが動物由来ということで、動物性食品を避ける動きも出ています。欧州のスーパーでは植物性食品のコーナーができています。知人のイタリア人によると、牛乳の替わりに植物性原料であるオーツ麦ミルク、栗ミルク、ライスミルク、豆乳、ヘーゼルナッツミルクや、それらを使った植物性プリンが販売されているそうです。

　動物を飼育して殺すことなく生産できる「クリーンミート（培養肉）」や、植物性タンパク質から作った「フェイクミート（代替肉）」も登場しています。
　「ミートフリーマンデー（Meat-free Monday）」という活動もあります。週1日だけお肉を食べない日をもうけ、地球環境や動物の保護を目指そうというもので、元ビートルズのポール・マッカートニーさんと娘のステラさんが提唱しています。

　みなさんはどのくらいお肉を食べているでしょうか。私は毎日のおかずを作るとき、肉にかたよりすぎないで、肉と魚が交互になるように心がけています。日本も肉食が普及し、毎日のように食べるという人も多いかもしれません。けれど、たとえば週1日だけの「ミートフリー」だったら無理なく続けられるのではないでしょうか。

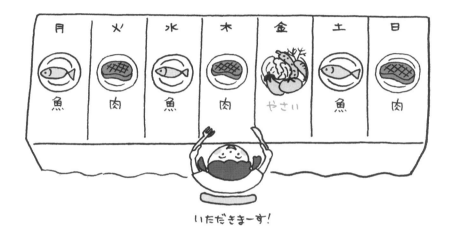

月	火	水	木	金	土	日
魚	肉	魚	肉	やさい	魚	肉

いただきまーす!

肉食を完全にやめることは難しく
ても、週1日肉を食べないならで
きるかもしれない

36

動物の子どもを
食べない。

　『捨てないパン屋の挑戦　しあわせのレシピ』（あかね書房）という本を書いているときに知ったことですが、モンゴルの遊牧民は、仔羊の肉（ラム肉）を食べないそうです。もうそれほど長く生きられない、年をとった羊から食べます。仔羊はこれから先、何年もの間、羊毛をとることができるし、メスなら将来たくさん子どもを産んでくれるからです。

　一方、日本では「羊の肉は臭みがあるから苦手」といって、臭みがなくてやわらかい仔羊の肉（ラム）をよろこんで食べます。はたしてこれは持続可能な行為でしょうか。目先のことだけを考え、自分さえおいしい肉が食べられればOK、というようにも思えます。モンゴルの人たちは、食べているのは生きものだから、できるだけそのいのちを永らえるようにしているのだと私は感じました。

　モンゴルの遊牧民は、羊を解体するときも敬意をもっておこないます。苦しまないようにするのです。まず、心臓のあたりを、毛をそぐように軽く数センチ切ります。そこに手を入れ、心臓の裏側、背骨のあたりの太い血管をつめで切ります。血は羊の横隔膜の内側にたまり、傷口から外にあふれ出ることはありません。

　かれらは家畜を殺すときは、手際よく、動物が苦しまないようにします。解体するときは、毛皮も肉も内臓もむだにならないよう、きれいにさばきます。食べるときも余すことなく、きれいに食べきります。これがモンゴルの遊牧民にとって、いのちを捧げてくれた動物への礼儀なのです。

「アニマルウェルフェア（動物福祉）」は、動物の立場に立ち、人が動物に与える苦痛を最小限にし、すべての動物の生活の質（QOL：Quality of Life）を高めようとする考え方です。ヨーロッパでは、できるだけ家畜のストレスをなくすような環境で飼い、殺すときも苦しまないように気をつけています。

2021年7月31日にオープンしたゼロ・ウェイストのスーパー「斗々屋京都本店」を取材したところ、日本でアニマルウェルフェアに配慮した牛肉を手に入れることができる相手先は1社しかなく、豚肉でも1〜2社程度しかないそうです。

2016年の調査では、日本人の9割が「アニマルウェルフェアを知らない」という結果が出ています[1]。食べものはいのちです。そのことをあらためて思うとき、私たちは食にどう向き合うべきかが見えてくるのではないでしょうか。

37

昆虫食の未来について関心を寄せる。

　みなさんは昆虫を食べたことがありますか？　私は長野県で昔から食べられている、郷土食のイナゴの佃煮やはちの子は食べたことがありましたが、それ以外はありませんでした。

　現在、世界的に昆虫食が注目されています。そこで私も昆虫料理教室に参加し、コオロギのカナッペや、アブラゼミをチョコレートコーティングし

た料理などを作って食べてみました。コオロギはエビみたいな味で、姿形（すがたかたち）もイナゴにも似（に）ているのですんなり食べられましたが、さすがにセミは勇気がいりました。昆虫料理研究家の内山昭一さんによれば、セミは種類によって味が違（ちが）うそうです。実際に食べてみると、羽や胴体（どうたい）の形がゴツゴツしていて、舌（した）のあちこちに触り、噛（か）みづらい感じがしました。でも昆虫食に詳（くわ）しい人によれば「セミはおいしい！」そうです。

　FAO（国連食糧（しょくりょう）農業機関）が2013年、昆虫食についての報告（ほうこく）書を発表し、以来、食料問題の解決策（かいけつさく）の1つとして昆虫食への関心が高まっています。

　肉牛を育てるには、膨大（ぼうだい）な穀物（こくもつ）飼料（しりょう）と水、広大な土地が必要です。それは経済的（けいざいてき）に困窮（こんきゅう）している人の食料を奪（うば）うことにもなり、地球環境（かんきょう）にも負担（たん）をかけます。一方、昆虫であれば、必要なエサや水は少なくてすみます。たとえばコオロギを繁殖（はんしょく）させて同じ量のタンパク質を得（え）ようとした場合、必要な飼料（しりょう）は牛の6分の1、羊の4分の1、豚（ぶた）や鶏（とり）の2分の1です。広い土地もいらず、小さなスペースで飼育（しいく）することができます。食品ロスになる野菜くずで育てられている昆虫もいます。

　食べ方についても、そのまま調理するだけでなく、パウダー（粉末（ふんまつ））にしてほかの食べものと混ぜたり、家畜（かちく）のエサにするなど、さまざまな活用法があります。

　フランスの大統領顧問（だいとうりょうこもん）もつとめた経済学者のジャック・アタリ氏は、その著書（ちょしょ）で、現在25億人が2000種類の昆虫を食べており、国ごとにたくさんの調理法があると述（の）べています。アフリカのボツワナの91％とコンゴの70％の人々は日常的に昆虫を食べています。また、世界第1位の消費国（しょうひこく）はタイだそうで、醤油（しょうゆ）と唐辛子（とうがらし）を添（そ）えたタガメの揚（あ）げ物、バッタの炒め物、サソリの串焼（くしや）き、レモン風味の赤アリの巣のサラダなどさまざまな料理があります。

　日本ではまだ抵抗がある人も多いと思いますが、じつは私たちはすでに知らないうちに昆虫を食べているのです。たとえば、コーラやかき氷のシロップ、ピンク色のかまぼこなどに使われている食品添加物の着色料は、コチニールカイガラムシから抽出されるコチニール色素から作られています。

　昆虫食は食料不足の解決に役立つだけでなく、たんぱく質も良質で、微量栄養素も豊富に含まれているなど、栄養価の高さも知られています。持続可能な世界を実現するための有望な食料の1つであることは間違いありません。

38

エシカルな消費を心がける（買い物は投票と考える）。

消費者として、私たちは毎日のように商品を購入します。「買い物は投票」という言葉がありますが、まさに1回ごとの買い物は選挙の投票のようなもの。どのお店のどんな商品を選ぶかは、これからどんな未来を実現していきたいのかを決める行為にほかなりません。「環境なんてどうでもいい」「安ければなんでもいい」と考えているお店や企業の商品を買えば、あなたはその未来に1票を投じたことになります。

はたしてそれでいいのでしょうか？　2011年の東日本大震災以降、「エシカル消費」という言葉がじわじわと注目を集めてきました。これは人や社会、地域、環境に配慮した、エシカル（倫理的・道徳的）な消費行動のことです。社会のさまざまな課題を買い物という行動（投票）で解決していくのです。

たとえば、「フェアトレード」の食品を買うこともエシカル消費の1つです。フェアトレードとは、公平で公正な貿易という意味です。原料や製品を適切な方法と価格で買い、労働者や生産者の生活改善や自立を目指す貿易の仕組みを指します。

ethical

私たちがおやつに食べるバナナやチョコレートの原料のカカオは、どこで誰が、どのように作っているか、想像してみたことがありますか？ それらは主に発展途上国で生産されていますが、場合によっては驚くほどの安さで売られていることもあります。では、その安さは、どのようにして成り立っているのでしょう？

働く人に適正な対価を支払っていないのかもしれません。

安い賃金で子どもたちを働かせているのかもしれません（児童労働）。

大量生産のために農薬を大量に使い、生産者の健康や生産地の環境を破壊しているのかもしれません。

そうした商品を選ばないことが、まさにエシカルな消費なのです。フェアトレード商品には果物、コーヒー、カカオ、紅茶、スパイスなどさまざまなものがあり、国際的な団体がフェアトレード認証をおこなっています。

フェアトレードのほかにも、環境に負荷をかけない商品を選ぶ、売上げの一部が寄付につながる商品を選ぶ、さらには買いすぎない＝食品ロスを出さないこともエシカルな消費といえるでしょう。エシカルをキーワードに、私たちの日々の買い物を未来への1票にしていきませんか。

地産地消を
意識して行動する。

　コロナ禍で遠方に外出する機会が減り、家の近くの「道の駅」や農産物直売所などで買い物をする人が増えているそうです。地元で作ったものを地元で食べる。これはとてもよいことだと思います。新鮮で栄養価の高いものをいただけるし、地域で経済を循環させることもできます。

　地産地消は環境への負担を少なくします。「フードマイレージ」という言葉があります。これは食料の重さ（トン）と運んだ距離（キロメートル）を掛けたもので、値（トン・キロメートル）が大きいほど二酸化炭素を排出し、環境に負担をかけます。もちろん、運ぶ距離は同じでも、船で運ぶか飛行機で運ぶかで、二酸化炭素の排出量は格段に違いますから、フードマイレージだけが唯一の指標ではありません。とはいえ、わざわざ遠くから大量の食料を運んでくれば、当然、その値は大きくなるわけです。食料自給率が低く、海外からの輸入食料に依存している日本のフードマイレージは、諸外国に比べて突出して高くなっています。こうした問題を改善するためにも、可能な範囲での地産地消はとても大切です。

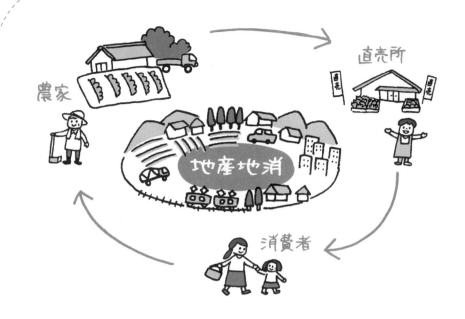

　地元で買うのであれば、個人商店の利用をおすすめします。私は近所の
お豆腐屋さんの常連で、お店の奥さんと「今日はなに作るの？　へぇ、お
いしそうね」などと会話するのがとても楽しみでした。残念ながらそのお
豆腐屋さんは閉店してしまったのですが、今はかわりに地元の魚屋さんが
仕入れている手作り豆腐を買いに行き、そこで魚についていろいろ教えて
もらっています。コロナ禍で近所のお茶屋さんにもよく行くようになりまし
た。そこで買う海苔はスーパーの品に比べると格段に風味がよく、ほんと
うにおいしいです。お店の人と仲良くなって、先日は抹茶アメもおまけして
もらいました。

このように地元での買い物は、お店の人との会話も楽しめるし、食との出会いや知識も豊富になります。それには、やはり大型スーパーよりも直売所や個人商店ではないでしょうか。

　ただし、地産地消はメリットが大きいのですが、注意すべき点もあります。それは、その地産地消が持続可能であるかどうかです。もうかるからと地域の気候風土に適さない農産物を作っても逆に環境に負担をかけることになり、結局は長続きしません。実際に外国では、乾燥地帯で大量の水を使う作物を栽培し、地域の地下水を使い果たしたといった事例もあるようです。

　スウェーデン出身で、持続可能なビジネスを支援する株式会社ワンプラネット・カフェの取締役をつとめるペオ・エクベリさんは、「環境にやさしいという言葉より、環境に正しいという言葉を使いましょう」と言います。「やさしい」のは人間にとってであり、環境によいとは限らない。環境に「正しい」かどうかで判断することが大切だという考え方には共感できます。

これまでの
働き方を見直す。

　働き方と食料問題がいったいどんな関係があるの？　そう思った人もいるかもしれません。じつは、大きな関係があります。日本人特有の〝働きすぎ〟が、たくさんの食品ロスを生み出す原因になっているからです。

　たとえば、食品業界には「欠品ペナルティ」といって、お店がメーカーに対して品切れを許さない商慣習があります。もし欠品したら取引停止と言われてしまう可能性があるのです。だから、国内に数万社ある食品メーカーは、取引（商売）を続けるため、捨てることを前提に大量に作らざるを得ません。そのため過剰労働となり、大量の食品ロスを生み出します。

　これは仕方のないことなのでしょうか？　そうではありません。食品ロスを出さない働き方はできるはずです。たとえば、広島のパン屋「ブーラン

ジェリー・ドリアン」も、かつて休みなく働き、大量のパンを作り、そして当たり前のように売れ残りを廃棄をしていました。店主の田村陽至さんは、そのことを反省し、やり方をあらためました。パンの種類を日持ちするもの数種類だけにし、作るのも売るのも限られた日だけにしたのです。その結果、味はさらにおいしくなり、2015年の秋からはパンを1個も捨てず、売上げも落ちていません。労働時間は減り、休みも増え、働く人も幸せになっています（拙著『捨てないパン屋の挑戦　しあわせのレシピ』にくわしく書きました）。食品ロス削減は、働き方改革であり、ひいては生き方改革でもあるのです。

　青森県弘前市で100年以上続く日本最古のりんご園「もりやま園」を取材したとき、園主の森山聡彦さんは「全労働時間のうち、75%を〝捨てる

作業、に使っていた」と話していました。捨てる作業は主に３つあり、1）枝の剪定、2）摘果（実を大きくするために9割方の実を小さいうちに落とす作業）、3）葉とりでした。

　葉とりは、りんごを真っ赤に色づかせるため、太陽の光にむらなく当たるようにじゃまな葉っぱをとる作業です。でも海外ではそんな作業はしていないので、森山さんは葉とりをやめました。たとえ色にむらがあってもおいしいりんごはできるし、むしろ葉っぱがついていたほうが味がよいという研究論文もあるくらいです。森山さんは、農家の労働生産性を上げることを目指しています。

　日本生産性本部のデータによれば、日本は1970年以降、50年以上にわたってG7（先進７カ国）の中で時間あたりの労働生産性が最下位です⁽¹⁾。食にたずさわる人たちも、みな働きすぎで生活に余裕がありません。しかも、その労働の成果である食料を大量に捨てるのは本末転倒ではないでしょうか。私たちは今、働き方を真剣に見直す時期に来ています。

利他の心を養う。

　私が「他の人の立場に立つ」ことを考えたのは、10歳のときでした。当時、私たち家族は、都市銀行員の父について引っ越しを繰り返していました。2つめの小学校では、同じクラスにいじめられている女の子がいました。かわいそうだと思いましたが、私には助けてあげることはできませんでした。自分のことだけを考えて、彼女のことを考えてあげられなかったのです。

　そして、3つめの小学校に転校した5年生のときのことです。その土地の方言がしゃべれなかった私はいつの間にか無口になっていました。するとある日、クラス中の給食のごみが全部、私の机に置かれていました。悲しくて、午後の授業がはじまってもトイレに隠れて泣いていると、担任だった若い先生が、クラスの子どもたちを引き連れて、私の名前を呼びながら探しに来てくれました。

　そのとき、10歳だった私は「神様は、2つめの小学校でいじめられていたあの子の気持ちをわからせるために、今、自分をこういう目にあわせているのだ」と考えました。

　自分のことを最初に考えるのは仕方がないかもしれません。けれど、自分さえよければいいのではなく、相手の立場に立ってものごとを考えてみる。それが利他の心です。

　利他の心は食べものを大切にする心にも通じます。ご飯を食べるとき
は、お米を育ててくれた人、料理してくれた人のことを思う。食べものを買
うときは、作ってくれた人、運んでくれた人、売ってくれた人のこと思う。
お店で食べるときは、料理してくれた人のことを考える。たくさんの人たち
のおかげで、今、食事を食べられる自分がいるのです。

　著名な経営者である稲盛和夫さんは、著書『君の思いは必ず実現する』
の中で、利己と利他の違いを、地獄と極楽で大釜で煮えているうどんを
長い箸を使って食べる様子にたとえて書いています。
　地獄に落ちた人は、うどんをつまんで食べようとしても、箸があまりに長
すぎて自分の口には入れられません。さらに反対側からは別の人がうどん

を自分の側に引っ張り、まわりに飛び散ってこぼれてしまいます。これが利己です。

　一方、極楽では、長い箸でうどんをつまみ、大鍋の向かい側の人に「あなたからどうぞ」と食べさせています。うどんはこぼれないし、誰もが穏やかに、おなかいっぱい食べることができます。これが利他です。

　稲盛さんは「みんなが思いやりを持って、利他の心でものごとをとらえることができれば、すばらしい社会が築けるはず」と書いています。

　食料問題に限らず、これから先の社会を考えるとき、利他は大きなキーワードになるのではないでしょうか。

主な参考文献と資料

1章

01
(1)WFP「数字で見る国連WFP 2020」

02
ハンガー・フリー・ワールドhttps://www.hungerfree.net/hunger/whtshunger/
FAO http://www.fao.org/hunger/en/

03
(1)「THE STATE OF FOOD SECURITY AND NUTRITION IN THE WORLD 2021」
(2) 時事通信2020/11/1 https://www.jiji.com/jc/article?k=2020111701133&g=int
(3) 「2021 GLOBAL REPORT ON FOOD CRISES」

04
(1)WFP「COVID-19による休校中の学校給食グローバルモニタリング」
(2)朝日新聞2021/5/4「母子家庭の子、困窮する食　NPO『2月緊急事態下で体重減』あすこどもの日」
(3)共同通信2020/9/6「コロナ、母子家庭18%で食事減　支出切り詰め、困窮浮き彫り」

05
(1)世界銀行「POVERTY AND SHARED PROSPERITY 2020」
(2)厚労省「2019年国民生活基礎調査」

06
(1)WHOニュースルーム2021/6/9 https://www.who.int/news-room/fact-sheets/detail/malnutrition
(2)日本スポーツ振興センター
https://www.jpnsport.go.jp/anzen/Portals/0/anzen/kenko/siryou/chosa/syokuji_h22/H22syokujijoukyo_3.pdf

07
(1)「THE STATE OF FOOD SECURITY AND NUTRITION IN THE WORLD 2021」

08
ジャック・アタリ著、林昌宏訳『食の歴史　人類はこれまで何を食べてきたのか』(プレジデント社)
マイケル・ポーラン著、小梨直訳『これ、食べていいの？　ハンバーガーから森の中まで　食をえらぶ力』(河出書房新社)
マルタ・ザラスカ著、小野木明恵訳『人類はなぜ肉食をやめられないのか　250万年の愛と妄想のはてに』(インターシフト)

09
(1)農林水産省「知ってる？ 日本の食料事情2020」日本の食料自給率
(2)農林水産省「知ってる？ 日本の食料事情2020」都道府県の食料自給率
橋本淳司著『水がなくなる日』(産業編集センター)

10
(1)読売新聞2021/9/6 https://www.yomiuri.co.jp/economy/20210906-OYT1T50215/
(2)高橋正征編『魚の疑問50』(成山堂書店)

2章

11
(1)農林水産省「2050年における世界の食料需給見通し」(令和元年9月)
(2)国連広報センター https://www.unic.or.jp/files/Goal_13.pdf
デイビッド・ウォレス・ウェルズ著、藤井留美訳『地球に住めなくなる日　「気候崩壊」の避けられない真実』(NHK出版)

12
(1)ハンガー・フリー・ワールドhttps://www.hungerfree.net/hunger/food_world/
ジャン・ジグレール著、勝俣誠監訳『世界の半分が飢えるのはなぜ？　ジグレール教授がわが子に語る飢餓の真実』(合同出版)
ジェフリー・M・ピルチャー著、伊藤茂訳『食の500年史』(NTT出版)

13
(1)AFP BBNEWS 2021/1/20　https://www.afpbb.com/articles/-/3264309
石井正子編著『甘いバナナの苦い現実』(コモンズ)
石井正子監修『甘いバナナの苦い現実』(DVD) アジア太平洋資料センター
José,川島良彰・池本幸生・山下加夏著『コーヒーで読み解くSDGs』(ポプラ社)
マーク・フランシス&ニック・フランシス監督『おいしいコーヒーの真実』

14
(1)FAO、JAICAF「世界の食料ロスと食料廃棄」(2011年)
(2)WAGENIGEN UNIVERSITY AND RESEACH https://www.wur.nl/en/research-results/research-institutes/economic-research/show-wecr/consumers-may-be-wasting-more-than-twice-as-much-food-as-commonly-believed-f00dwa5.htm
(3)WWF「Driven to Waste」https://wwf.panda.org/discover/our_focus/food_practice/food_loss_and_waste/

driven_to_waste_global_food_loss_on_farms/
15
(1)農林水産省「食品ロス量（平成30年度推計）」
(2)総務省東北管区行政評価局「災害備蓄資料の活用の促進に関する調査の結果報告書」
16
(1)WORLD RESOURCES INSTITUTE「What's Food Loss and Waste Got to Do with Climate Change? A Lot, Actually.」
17
(1)インフォビジュアル研究所著『図解でわかる　14歳から知る気候変動』（太田出版）
(2)日本農業新聞2020/10/3
農林水産省「気候変動適応の推進について」
国際環境NGO FoE Japan 気候変動・エネルギーチーム編『気候変動から世界をまもる30の方法』（合同出版）
18
(1)レスター・R・ブラウン著、枝廣淳子訳『カウントダウン　世界の水が消える時代へ』（KADOKAWA）
(2)国土交通省「世界の水資源」 https://www.mlit.go.jp/mizukokudo/mizsei/mizukokudo_mizsei_tk2_000020.html
19
(1)環境省「一般廃棄物処理事業実態調査の結果（令和元年度）」
(2) OECD「Municipal waste disposal and recovery shares, 2013 or latest」
20
(1)レスター・R・ブラウン著『地球に残された時間　80億人を希望に導く最終処方箋』（ダイヤモンド社）
21
(1)GLOBAL FOOTPRINT NETWORK https://www.footprintnetwork.org/
22
(1)農林水産省「知ってる？ 日本の食料事情2020」
23
国際農林水産業研究センターHP「サバクトビバッタについて」
https://www.jircas.go.jp/ja/program/program_b/desert-locust
24
(1)BIP https://beeinformed.org/2021/06/21/united-states-honey-bee-colony-losses-2020-2021-preliminary-results/
25
(1) FAO「世界森林資源評価2020」
(2)林野庁HP https://www.rinya.maff.go.jp/j/riyou/goho/kunibetu/phl/info.html

3章
27
(1)環境省「平成31年度　家庭部門のCO2排出実態統計調査」
(2)資源エネルギー庁HP https://www.enecho.meti.go.jp/category/saving_and_new/saving/general/howto/consumption/
28
(1)消費者庁「平成29年度徳島県における食品ロス削減に関する実証事業の結果と概要」
32
ベア・ジョンソン著、服部雄一郎訳『ゼロ・ウェイスト・ホーム　ごみを出さないシンプルな暮らし』（アノニマ・スタジオ）
山谷修作著『ごみゼロへの挑戦　ゼロウェイスト最前線』（丸善出版）
36
(1)KOKOCARA https://kokocara.pal-system.co.jp/2021/04/30/animal-welfare/
37
株式会社グラリスHP https://gryllus.jp
39
中田哲也著『フードマイレージ　新版』（日本評論社）
40
(1)日本生産性本部「労働生産性の国際比較2020」
41
稲盛和夫著『君の思いは必ず実現する』（財界研究所）

井出留美 (いで・るみ)

office3.11 代表。奈良女子大学食物学科卒、博士(栄養学 / 女子栄養大学大学院)、修士(農学 / 東京大学大学院農学生命科学研究科)。ライオン、青年海外協力隊を経て日本ケロッグ広報室長等を歴任。東日本大震災(2011年3月11日)での支援物資の廃棄に衝撃を受け、自身の誕生日でもある 3.11 を冠した(株)office3.11 設立。食品ロス問題の専門家としての活動をスタートさせ、食品ロス削減推進法の成立にも協力。政府・企業・国際機関・研究機関のリーダーによる食品ロス削減を目指す世界的連合「Champions12.3」メンバー。著書『捨てられる食べものたち』(旬報社)『賞味期限のウソ』(幻冬舎)『あるものでまかなう生活』(日本経済新聞出版)『食料危機』(PHP 新書)『捨てないパン屋の挑戦』(あかね書房)『SDGs 時代の食べ方　世界が飢えるのはなぜ?』(筑摩書房)他多数。第2回食生活ジャーナリスト大賞食文化部門 / Yahoo! ニュース個人オーサーアワード 2018 受賞。食品ロス削減推進大賞消費者庁長官賞受賞。

食品ロスを減らすヒント(2分間動画シリーズ)
https://bit.ly/32E4F0C

食べものが足りない！

食料危機問題がわかる本

2022 年 1 月 10 日　初版第 1 刷発行

著者　井出留美

イラスト　手塚雅恵
ブックデザイン　ランドリーグラフィックス
編集担当　熊谷満
発行者　木内洋育
発行所　株式会社旬報社
〒 162-0041
東京都新宿区早稲田鶴巻町 544　中川ビル 4 F
TEL 03-5579-8973　FAX 03-5579-8975
HP http://www.junposha.com/
印刷製本　精文堂印刷株式会社
©Rumi Ide 2022, Printed in Japan
ISBN978-4-8451-1735-2

捨てられる食べものたち
食品ロス問題がわかる本

井出留美　著
matsu（マツモト ナオコ）絵
定価 1540 円

「食品ロスってそもそもなに？ なぜ生まれるの？」
「世界には食べものが余っているの？」
「日本の子どもは給食を年間 7 キロ食べ残してるってほんと？」
食品ロス問題の第一人者が、食品ロスの現状、
世界と日本の食料事情などを、イラスト付きでわかりやすく解説。
驚きの現実と、食への向き合い方を考える入門書。